Het huis lijkt wel een schip

Jacques Vos

Handleiding voor
het poëzieonderwijs
op de basisschool

tweede, bijgewerkte druk

HB Uitgevers

Het huis lijkt wel een schip

Overdag in bed

Het huis lijkt wel een schip
Lawaai, met herrie in de kajuit
popmuziek in het vooronder.
Dat hoor je als je ziek bent.

Het dreunt in alle ruimten
disco, pop, klassiek en jazz.
Het dondert allemaal samen.
Dat hoor je in je kooi.

De matrozen, stuurman, kapitein
ze luisteren naar muziek.
Alleen jij ligt eenzaam in je hut.
Dat voel je als je ziek bent.

Remco Ekkers

Het huis lijkt wel een schip is een initiatief van de Stichting Kinderen en Poëzie. Deze uitgave is mogelijk gemaakt dankzij de financiële ondersteuning van het Prins Bernhard Fonds.

Bijdragen aan de tweede druk: Willemijn Vernout en Maeike Woudstra, docenten Nederlands van Saxion Hogeschool IJselland, Pabo Deventer
Redactie: Herman Kakebeeke en Pieter Quelle, Marieke Verhoeven
Omslagillustratie: Ingrid Godon

ISBN 90 5574 356 9
Nieuw 13-cijferig ISBN per 1-1-2007:
978 90 5574 4356 8

HB*uitgevers*
Postbus 290
3740 AG Baarn

www.hbuitgevers.nl
e-mail: info@hbuitgevers.nl

Inleiding

De opvatting 'kinderen houden niet van poëzie', is een misvatting. Leerkrachten bij het basisonderwijs die het poëzieonderwijs serieus nemen, dat wil zeggen, leerkrachten die meer doen dan zo af en toe eens een gedichtje onder de aandacht van de kinderen brengen, zullen dit beamen. Of kinderen op school plezier krijgen in het lezen en zelf schrijven van gedichten, wordt in hoge mate bepaald door de geïnspireerde leerkracht die zelf belangstelling heeft voor poëzie. Een leerkracht die overtuigd is van de waarde van poëzie voor zijn leerlingen. Inspiratie en belangstelling zijn voorwaarden, maar voor goed poëzieonderwijs is meer nodig. Dit 'meer' bestaat uit kennis van zaken: kennis van de leerstof die de leerkracht in het poëzieonderwijs overdraagt en kennis van de manieren waarop deze leerstof onderwezen en geleerd kan worden. Misschien wat versimpeld geformuleerd: kennis van het wat en kennis van het hoe. De aandacht voor het wat en hoe van het poëzieonderwijs heeft de inhoud van de meeste hoofdstukken van deze handleiding bepaald. Eerst geef ik over het onderwerp van het hoofdstuk relevante achtergrondinformatie, daarna volgt een paragraaf over de didactiek en ik besluit met de weergave van een aantal uitgewerkte lesvoorbeelden. Deze geven niet aan hoe een leerkracht te werk moet gaan, maar hoe hij te werk zou kunnen gaan. In deze lessen wordt regelmatig de suggestie gedaan de kinderen een bepaald gedicht te laten lezen. Deze gedichten kunt u dan voor het gebruik in de les uit deze bundel kopiëren. Aan de praktijkhoofdstukken gaat een tweetal meer algemene hoofdstukken vooraf: een hoofdstuk over poëzie en poëzieonderwijs en een hoofdstuk over de moderne kinder- en jeugdpoëzie. Een handleiding voor het poëzieonderwijs zonder gedichten zou een slechte handleiding zijn. Daarom heb ik in de meeste hoofdstukken tamelijk veel gedichten opgenomen. Daardoor heeft dit boek ook een beetje het karakter van een bloemlezing gekregen. Natuurlijk zal een leerkracht de behoefte hebben aan meer en andere gedichten. Deze kan hij vinden in een aantal recent verschenen bloemlezingen. Een overzicht hiervan is in deze handleiding opgenomen.

Tynaarlo, Jacques Vos

Inhoud

Inleiding 7

1 **'Groots is het liedje niet'** 11
Over poëzie en poëzieonderwijs
Oriëntatie 11
De waarde van (jeugd)litera-
tuur 11
Poëtische teksten 14
Over poëzieonderwijs 17

2 **'Liever kat dan dame'** 19
*Kinder- en jeugdpoëzie: vroeger
en nu*
Oriëntatie 19
Het begin: Hieronymus van
Alphen 19
De negentiende eeuw 20
De eeuw van het kind 21
Drie generaties 21
Een lange traditie 27

3 **'hij gaf me kusjes voor drie
nachten'** 29
*Poëzieonderwijs en beginnende
geletterdheid*
Oriëntatie 29
Achtergrondinformatie 29
De didactiek 30
Mogelijkheden 31

4 **'gewen uw pen om te del-
gen'** 38
Poëtische teksten leren schrijven
Oriëntatie 38
Achtergrondinformatie 38
De didactiek 40

Uitgewerkte lesvoorbeelden
1 rijmende gedichtjes schrijven 43
2 een gedicht maken op basis van in woorden weergegeven gevoelens 44
3 visuele indrukken verwerken in een gedicht 45

5 **'Het is te vroeg om een sonnet te schrijven'** 48
Soorten gedichten
Oriëntatie 48
Achtergrondinformatie 48
De didactiek 51
Uitgewerkte lesvoorbeelden
1 kennismaking met poëti-
sche middelen 52
2 soorten gedichten kunnen
herkennen 54
3 concrete poëzie 56

6 **'Ik voel me ozo heppie'** 59
*Rijm, ritme, metrum en beeld-
spraak*
Oriëntatie 59
Achtergrondinformatie 59
De didactiek 61
Uitgewerkte lesvoorbeelden
1 ritme en intonatie in gedichten 62
2 eindrijm in gedichten 64
3 vergelijkingen in poë-
zie 66

7 **'Ga midden in de kamer zitten'** 69
Over de compositie van gedichten
Oriëntatie 69
Achtergrondinformatie 69
De didactiek 72
Uitgewerkte lesvoorbeelden
1 tijdsverloop in gedichten 71
2 veranderingsprocessen in
gedichten 74
3 gedichten met een mo-
raal 76

8 **'Zet het blauw'** 79
Poëzie en beeldende vorming
Oriëntatie 79
Achtergrondinformatie 79
De didactiek 82
Uitgewerkte lesvoorbeelden
1 het relateren van 'plaatjes'
aan de inhoud van gedich-
ten 83
2 de inhoud van een gedicht
verbeelden 85
3 verkenning van de relatie
tussen tekst en beeld 87

9 **'Want er zijn dingen die kun
je niet zeggen'** 90
Over de inhoud van gedichten
Oriëntatie 90
Achtergrondinformatie 90
De didactiek 92
Uitgewerkte lesvoorbeelden
1 droomgedichten 93
2 gedichten over school 94
3 gedichten vergelijken 97

10 'De tranen vloeien uit m'n ogen' 100
Over dichters
Oriëntatie 100
Achtergrondinformatie 100
De didactiek 101
Uitgewerkte lesvoorbeelden
1 Annie M.G. Schmidt 103
2 het werk van Willem Wilmink 104
3 het (gestructureerd) presenteren van een ge-
dichtenbundel 107

11 'Ik las met de klas een heerlijk gedicht' 109
De presentatie van poëzie
Oriëntatie 109
Achtergrondinformatie 109
De didactiek 110
Uitgewerkte lesvoorbeelden
1 het expressief voorlezen van slaapliedjes 111
2 het presenteren (voorlezen en spelen) van
twee verhalende gedichten van Annie M.G.
Schmidt 113
3 het presenteren van een aantal gedich-
ten 117

Bijlagen
1 Kerndoelen voor de Nederlandse taal 119
2 Tussendoelen voor groep 1 t/m 3 120

Appendix
Aanbevolen bloemlezingen 121
Aanbevolen secundaire literatuur 123
Aanbevolen websites en software 124
Bronvermelding gedichten 125
Verantwoording overgenomen illustraties 129
Geraadpleegde literatuur 130
Adressen landelijke instellingen 132

Hoofdstuk 1 'Groots is het liedje niet'

De leeuwerik

Groots is het liedje niet
maar het geluid, het kleine vliegbeeld
de vleugels wijd gespreid om meer nog
van de warmte te ontvangen
de warmte opstijgend boven het koren
en daar een deel van zijn
deel zijn, deel hebben aan
uitstijgend zingen boven het warme land
zo houden van leven is leven
en weet hebben van leven

D. Hillenius

Oriëntatie

Poëzieonderwijs is een belangrijk onderdeel van
het literatuuronderwijs, dat wil zeggen het deel van
het (moeder)taalonderwijs dat zich bezighoudt
met de literaire vorming van kinderen. Dit hoofdstuk geeft u eerst informatie over de waarde van literatuur (en dus van het literatuuronderwijs).
Daarna wordt nader ingegaan op de kenmerken
van poëtische teksten (gedichten) en op de daaruit
volgende uitgangspunten voor het poëzieonderwijs op de basisschool.

De waarde van (jeugd)literatuur

Veel leerkrachten vinden jeugdliteratuur (nog
steeds) heel waardevol, maar vragen zich tegelijkertijd af of het nog wel zin heeft hieraan in het onderwijs veel aandacht te schenken. Ze wijzen dan
op onderzoeken die aangeven dat kinderen steeds

minder tijd aan lezen besteden: veel kinderen pre-
fereren het kijken naar televisieprogramma's boven het lezen van een boek. Pessimistisch wordt wel
opgemerkt dat kinderen niet (meer) van lezen
houden en dat het moedertaalonderwijs zich beter
met de ontwikkeling van de mondelinge en schriftelijke taalvaardigheid als met het kritisch leren kijken naar televisieprogramma's zou kunnen bezighouden. Het is zeker nuttig dat het onderwijs zich
met de ontwikkeling van deze vaardigheden bezighoudt: ze kunnen een bijdrage leveren aan wat wel
genoemd wordt de maatschappelijke redzaamheid
van kinderen. Wij menen – ondanks alle pessimisti-
sche geluiden – toch een lans te moeten breken
voor de aandacht voor jeugdliteratuur in het basisonderwijs.

In verhalen en gedichten wordt in de meeste gevallen het menselijk handelen weergegeven. Een lezer
kan in deze teksten mogelijke antwoorden vinden
op belangrijke vragen als: 'Hoe te handelen?' en
'Hoe te leven?' Hiermee wordt natuurlijk niet bedoeld dat verhalen en gedichten voorschriften geven voor ons handelen. Een verhaal of gedicht doet
geen dienst als een soort catechismus. Een verhaal
of een gedicht kan ons hoogstens een soort spiegel
voorhouden. Misschien komt het volgende standpunt wat al te idealistisch over. 'Verhalen en gedichten kunnen de lezer inzicht verschaffen in het menselijke, wat het betekent mens te zijn. Hierdoor kan
literatuur een bijdrage leveren aan de humanisering
van onze samenleving.' De jeugdboekenschrijver
Wim Hofman heeft in dit verband wel eens treffend
opgemerkt: 'Fantasie ondermijnt alle stelsels.' (Dic-
tators hebben niet voor niets een hekel aan kunst in
het algemeen en literatuur in het bijzonder!).

Literatuur is echter niet alleen inhoud, maar ook vorm. Literatuur berust op fantasie en verbeelding. Doordat we in verhalen en gedichten te maken hebben met een verbeelde, niet 'echt bestaande' wereld, kunnen deze ons de werkelijkheid op een andere manier laten 'zien'. Verhalen en gedichten kunnen ons in aanraking brengen met het niet voorspelbare, het verrassende.

Doordat een (goede) schrijver of dichter op een bijzondere manier een verbeelde wereld weergeeft, is het vaak 'aangenaam' een verhaal of gedicht te lezen. Door de bijzondere vorm van verhalen en gedichten blijven we ook lezen. Er zullen maar weinig mensen zeggen: 'Ik heb al een gedicht over eenzaamheid gelezen, daar weet ik nu alles van, meer gedichten over dit onderwerp hoef ik dus niet te lezen.' Met andere woorden: literatuur heeft ook een esthetische functie, en daardoor kan literatuuronderwijs bijdragen aan de esthetische vorming.

Het bovenstaande heeft betrekking op de literatuur in het algemeen. In het basisonderwijs brengen we kinderen in aanraking met verhalen en gedichten die we tot de kinder- en jeugdliteratuur rekenen. Zeker niet alleen om kinderen voor te bereiden op het leren lezen van de literatuur voor volwassenen in het voortgezet onderwijs (al speelt dat natuurlijk wel een rol), maar vooral omdat verhalen en gedichten die speciaal voor kinderen zijn geschreven waardevol, belangrijk, voor hen zijn. Wat maakt deze literatuur zo nuttig voor de leerlingen?

Om aan te geven dat de kinder- en jeugdliteratuur waardevol is, kunnen we globaal gesproken drie soorten argumenten geven. We zeggen ook wel dat er drie benaderingen van deze literatuur mogelijk zijn, namelijk:

- de pedagogische benadering: verhalen en gedichten worden vooral op hun opvoedkundige waarde beoordeeld
- de literaire benadering: hierbij worden verhalen en gedichten met name beoordeeld op: taalgebruik, stijl, compositie en oorspronkelijkheid
- de zogeheten kindgerichte benadering: de nadruk ligt nu vooral op de beleving van een verhaal of gedicht door kinderen.

Hieronder volgt een korte toelichting op deze benaderingen.

De pedagogische benadering
Verhalen en gedichten wordt wel een soort therapeutische functie toegekend. Kinderen zouden op een bepaald moment uit verhalen en gedichten troost kunnen putten, bijvoorbeeld doordat ze in een verhaal of gedicht met een door henzelf beleefd probleem worden geconfronteerd. Een kind dat bang is om alleen thuis te zijn, zal de situatie die Theo Olthuis in het gedicht 'Alleen' weergeeft zeker herkennen. De 'ik' in het gedicht schrikt als ze plotseling de bel hoort.

Al m'n haartjes kwamen overend,
dat heet, geloof ik, kippevel.
Ik mag Nooit opendoen
zegt m'n moeder,
maar wél heel voorzichtig
door het raampje kijken
en dàt deed ik...
Opa!

Verhalen en gedichten zouden ook kunnen bijdragen aan een beter begrip voor andere mensen (en mensen die 'anders' zijn). Als voorbeeld een prentenboek van Max Velthuijs: *Kikker en de vreemdeling*. De dieren in het bos zijn in grote beroering: er is een vreemd dier, Rat, in hun bos komen wonen en die hoort daar niet. Uiteindelijk ervaren ze dat ze prima met Rat kunnen opschieten.

De literair-esthetische benadering

De pedagogische benadering legt de nadruk duidelijk op de inhoud van de verhalen en gedichten die kinderen lezen. Bij de literair-esthetische benadering krijgt de vorm de meeste aandacht. Deze benadering heeft de laatste jaren de wind duidelijk mee. De nadruk ligt hierbij op een hechte compositie en goed verzorgd taalgebruik. Het wordt ook belangrijk gevonden dat het verhaal of gedicht een diepere betekenis kent, de tekst moet op meer dan één niveau gelezen kunnen worden. Schrijvers van verhalen die aan deze criteria voldoen zijn bijvoorbeeld: Paul Biegel, Wim Hofman, Toon Tellegen, Joke van Leeuwen en Imme Dros. Bij dichters van jeugdpoëzie kan gedacht worden aan onder meer: Wiel Kusters, Hans Hagen, Johanna Kruit, Leendert Witvliet, Remco Ekkers, Ted van Lieshout en André Sollie. Van deze laatste dichter (die ook tekent en schildert) is bijvoorbeeld het volgende gedicht.

Altijd

Nog eventjes vergeten.
Alsof ik niet zou weten
– heel even maar, een dag –
dat het voorgoed voorbij is.
Dat alles weer van mij is.
Mijn woorden en mijn lach.

Ik heb na zoveel zomer
geen vat meer op de tijd.
Jij was er
en je maakte
dat het duurde voor altijd.

Altijd is zeven weken.
Dat is zoals het ging.
Zoals het vanaf nu zal gaan
in mijn herinnering.

Beschouwing van dit gedicht kan zich zeker niet beperken tot de inhoud.

De kindgerichte benadering

De opvoedkundige benadering legt de nadruk op de inhoud van een verhaal of gedicht, de literair-esthetische op de vorm ervan. Bij de derde benadering gaat het er vooral om dat verhalen en gedichten voldoen aan kinderlijke behoeften: humor, spanning, emoties. Voorstanders van deze benadering gebruiken bijvoorbeeld nogal eens het begrip 'identificatie'. Een verhaal is goed als een kind 'zich met de hoofdpersoon kan identificeren'. Sommigen hebben er dan ook moeite mee dat in de Kinderboekenweek kinder- en jeugdboeken en gedichtenbundels met een Gouden of Zilveren Griffel worden bekroond door een jury die uitsluitend uit volwassenen bestaat. Als tegenhanger van deze jury's van volwassenen is dan ook de Kinderjury in het leven geroepen, die louter en alleen uit kinderen bestaat. Alle kinderen van Nederland kunnen hun stem uitbrengen op boeken die dat jaar zijn verschenen en kiezen zo samen de mooiste, meest aansprekende boeken uit.

Deze drie benaderingen vertonen onderling nogal wat verschillen. Critici die de verschillende richtingen vertegenwoordigen nemen soms vrij extreme standpunten in. Dat er vaak heftig wordt gediscussieerd bewijst overigens dat 'wij' het erover eens zijn dat kinder- en jeugdliteratuur voor kinderen en voor onze cultuur kennelijk belangrijk is. Zo belangrijk dat het de moeite waard is ons er druk om te maken. Een leerkracht bij het basisonderwijs kan deze discussie niet uit de weg gaan: hij moet op een bepaald moment immers kiezen welk verhaal of welk gedicht hij de kinderen van zijn groep zal laten lezen. Kiest hij dan voor teksten waarvan hij vermoedt dat de kinderen er belangstelling voor hebben? Is hij van mening dat het beste nog niet goed genoeg is voor zijn leerlingen en dat ze dus hun best moeten doen om literair waardevolle verhalen en gedichten te begrijpen en te waarderen? Of heeft hij het standpunt dat verhalen en gedichten een prima middel zijn bij de opvoeding van kinderen? (Er is natuurlijk ook nog een vierde standpunt mogelijk: het zal de leerkracht een zorg zijn wat de kinderen lezen, als ze maar lezen. Met dit standpunt hebben wij enige moeite.)

In dit boek is voor het uitgangspunt gekozen dat elk van de genoemde benaderingen zinvol kan zijn in het onderwijs. Het lijkt niet wijs en pedagogisch ook niet verantwoord te kiezen voor een extreem standpunt. In het basisonderwijs hebben we te maken met lezers in ontwikkeling. Dat kan bijvoorbeeld inhouden dat een kind op een bepaald moment een gedicht of verhaal gaat waarderen dat het eerst nog heel moeilijk en ingewikkeld vond. Natuurlijk houdt een leerkracht bij de keuze van een verhaal of gedicht rekening met de interesse en de leesvaardigheid van zijn leerlingen. Maar het rekening houden met is iets geheel anders dan het uitsluitend laten lezen van teksten waarvoor de kinderen 'van nature' al belangstelling hebben. Goed literatuuronderwijs kan de belangstelling ook wekken (moet de belangstelling ook wekken, zouden we kunnen toevoegen).

Sommige teksten staan dicht bij kinderen, ze zullen ze zonder al te veel inspanning kunnen lezen. Andere teksten daarentegen staan op 'grote af-stand', het lezen en waarderen hiervan kost meer (soms veel meer) inspanning. Begeleiding van de leerkracht is hierbij meer noodzakelijk. En natuurlijk bestaan er ook nog allerlei tussenvormen. De leerkracht kan uitgaan van teksten 'op geringe afstand' en proberen door goed literatuuronderwijs de leerlingen zo ver te brengen dat zij ook verhalen en gedichten die ze moeilijk vinden gaan lezen. Dit betekent niet dat een leerkracht zijn leerlingen moet dwingen een bepaald gedicht mooi te vinden. Een werkwijze die gechargeerd weergegeven kan worden als: 'Dit is een mooi gedicht en daarover valt niet te discussiëren'.

Een leerkracht moet zijn leerlingen een breed scala van verhalen en gedichten aanbieden. 'Zo maar eens af en toe een gedichtje presenteren' lijkt niet zo erg zinvol. Daarbij moet men zich er wel van bewust zijn dat het bij kinder- en jeugdliteratuur altijd om inhoud en vorm gaat. Dat geldt met name voor het poëzieonderwijs. Gedichten zijn van belang voor kinderen. Ze zijn zinvol om hun inhoud èn vorm (en om de vaak subtiele relatie daartussen).

Poëtische teksten

We zullen geen poging wagen een sluitende definitie van poëzie te formuleren. Beter lijkt het een overzicht te geven van de belangrijkste kenmerken van teksten die we aanduiden met 'poëtisch'. Te bedenken valt dat deze kenmerken ook in niet-poëtische teksten kunnen voorkomen. Reclame-teksten (en dat zal wel geen toeval zijn) maken bijvoorbeeld nogal eens gebruik van een poëtisch middel als beeldspraak of alliteratie. Wel is het zo dat in poëtische teksten meestal meer van deze poëtische middelen tegelijkertijd toegepast worden. Bij het vaststellen van kenmerken van poëtische teksten gaat het om vormaspecten en niet om inhoudsaspecten. Niet dat de inhoud er niet toe zou doen, maar er bestaat principieel geen verschil tussen de onderwerpkeuze voor een verhaal of voor een gedicht.

De ontdekking

Als je goed om
je heen kijkt
zie je dat alles
gekleurd is.

K. Schippers

Wie in de boekwinkel of bibliotheek een boek openslaat, ziet onmiddellijk of hij al dan niet met een gedichtenbundel te maken heeft: een gedicht is omgeven door veel wit. Om een bepaald effect bij de lezer te bereiken, heeft Kees Schippers ervoor gekozen de zin 'Als...is' in kleine partjes onder elkaar te plaatsen. Bovendien krijgt deze zin een bepaalde betekenis doordat de dichter er een titel boven heeft geplaatst. Het gedichtje van Schippers bestaat uit slechts één couplet (strofe). Veel gedichten bestaan uit meer dan één strofe. Vaak ook vertonen strofen een zekere regelmaat: de regels zijn even lang, er bestaat een duidelijk herkenbare afwisseling van korte en langere regels, er is sprake van eenzelfde aantal regels per strofe. Kenners van poëzie herkennen op grote afstand, zonder al te veel problemen, een sonnet.

De versregel

Aan de omtrekken, het uiterlijk, kunnen we een gedicht herkennen. Maar dat is nog maar een deel van het verhaal. We moeten ons ook bezighouden met het 'innerlijk' van gedichten. 'Met je neus op de tekst lezen', heeft iemand dit wel eens genoemd. In een verhaal vormt de zin het basiselement. Simpeler gezegd: een verhaal bestaat uit zin-

nen. In een poëtische tekst vormt niet de zin maar de versregel het basiselement. Schippers heeft de samengestelde zin 'Als je goed om je heen kijkt zie je dat alles gekleurd is' in vier versregels weergegeven. Soms valt in een gedicht een zin samen met een versregel, maar vaker is dat niet het geval. Het komt bijvoorbeeld wel voor dat een zin doorloopt in een volgende strofe van een gedicht. In het volgende fragmentje uit het gedicht van Hans Andreus 'De Grimvis' valt eerst een zin samen met een versregel, daarna bestrijkt de volgende zin vijf versregels en bijna twee strofen.

De Grimvis

Weet je wat een Grimvis is? } zin = versregel
Dat is een hele grote vis
reusachtiger dan een walvis is, } zin = vijf versregels

en die Grimvis leidt een woest bestaan
in de diepte van de oceaan
waar hij geweldig tekeer kan gaan.

Een dichter houdt bij het bepalen van de volgorde van de woorden in de versregels niet alleen rekening met de grammaticale regels van het gewone, dagelijkse spraakgebruik, maar ook met allerlei ritmische eisen. Dat betekent dat een dichter kan afwijken van die grammaticale regels. Annie M.G. Schmidt begint haar gedicht 'Ubbeltje van de bakker wil niet slapen gaan' met de versregel:

De kindertjes moeten slapen gaan al in hun ledikant,

Een zo gebouwde versregel 'leest anders' dan:

De kindertjes moeten gaan slapen in hun ledikant,

Het gedicht van D. Hillenius aan het begin van dit hoofdstuk laat zien dat er in de versregels in dit gedicht maar weinig grammaticaal 'in orde' is.

Woordgebruik

Een dichter zal (en mag) zich in een gedicht niet alleen onttrekken aan de regels van de zinsbouw en de woordvolgorde. Hij kan ook op een bijzondere manier omgaan met de woorden, soms zelfs (op basis van bijvoorbeeld associaties) nieuwe woorden maken. Bij Diet Huber roept een papaver een mamaver op en wanneer er een vlo in een boterpotje zit, is er sprake van een botervlootje. Dichters zullen woorden vaak gebruiken om beelden op te roepen. Dat kan op een 'simpel' niveau door vergelijkingen te maken. Bijvoorbeeld:

*Zwanen zien er altijd zo nieuw uit
zo zondags, zo pas in bad geweest.*

Armande van Assche

Het kan ook ingewikkelder, een dichter kan gebruik maken van een zogeheten metafoor.

*Trek deze kamer maar aan,
tot boven je knie.*

Wiel Kusters

In een gedicht is ieder woord belangrijk, er wordt in dit verband wel opgemerkt dat dichten verdichten is. Een goede dichter (ook van kinder- en jeugdpoëzie!) is zuinig met zijn woorden, laat alle overbodige ballast weg.

Muzikaliteit

Poëtische teksten worden dus gekenmerkt door een herkenbare uiterlijke vorm en door de bijzondere manier waarop de taal (zinsbouw en woor-den) wordt gebruikt. Er is daarnaast nog sprake van een derde belangrijk vormaspect: de muzikaliteit. De muzikaliteit van gedichten wordt bepaald door onder andere: klankgebruik, metrum, ritme en ... rijm. Dit laatste kenmerk is voor veel kinderen, maar zeker niet alleen voor hen, hèt kenmerk van een gedicht. Een sinterklaasgedicht behoort bijvoorbeeld altijd te rijmen, veel kinderen vinden ook niet-rijmende gedichtjes in een poesiealbum eigenlijk onacceptabel. Een puber die een liefdesgedicht schrijft over het meisje of de jongen in de klas die naar hem of haar omkijkt, zal zijn of haar smart over het algemeen het liefst rijmend tot uitdrukking brengen. Rijm is echter maar één van de vormaspecten van poëtische teksten. Dat wil niet zeggen dat rijm in bepaalde gedichten niet kan bijdragen aan de zeggingskracht van een gedicht.

Er worden gedichten voor kinderen (en volwassenen) geschreven die uitsluitend berusten op een subtiel spel van klanken, ritme en metrum. Dat is bijvoorbeeld het geval bij veel traditionele rijmpjes en versjes 'uit de oude doos' en bij aftelversjes.

Aftelrijmpje

*bij de bruine bonen
daar zat een groene ert
hoe is die daar gekomen
hij wou niet in de snert
primo hier en primo daar
ert beken je zonden maar
hangt 'em op
aan zijn kop
met een strop
voor zijn straf
die is
AF!*

J.C. van Schagen

Over poëzieonderwijs

In poëzielessen brengen we kinderen in contact met een voor hen belangwekkende inhoud die in een specifieke talige vorm wordt aangeboden. Dit betekent dat het poëzieonderwijs aandacht moet schenken aan de inhoud, de vorm en aan de samenhang tussen inhoud en vorm van gedichten. Een leerkracht die aan deze aspecten aandacht besteedt, levert daarmee een bijdrage aan:

- het inzicht dat we teksten kunnen lezen en schrijven die we op grond van een aantal kenmerken gedichten noemen
- de ontwikkeling van het begrijpend lezen van gedichten en het waarderen van gedichten
- de ontwikkeling van de receptieve en productieve taalvaardigheid van de leerlingen
- de literair-esthetische vorming van de leerlingen (poëzieonderwijs als kunstzinnige vorming)
- de ontwikkeling van de fantasie, de verbeelding van de leerlingen
- het 'doorgeven' van een belangrijk geacht cultuuraspect aan een volgende generatie/volgende generaties.

Bij de literaire vorming van kinderen in het basisonderwijs werken we met teksten uit de kinderliteratuur. Net als bij andere vormen van kunstonderwijs gaat het hier om een beschouwend (het leren begrijpen en waarderen van literaire teksten) en een productief deel (het zelf schrijven en presenteren van literaire teksten). Lezen en schrijven hangen immers onderling heel nauw samen. Dit betekent dat het literatuuronderwijs – daar waar mogelijk en zinvol – het lezen en schrijven van teksten moet proberen te integreren. Dat is overigens niet hetzelfde als het 'zo maar' afsluiten van een poëzieles met het zelf schrijven van een gedichtje. Deze geïntegreerde aanpak moet ook niet verward worden met de (verworden) aanpak van het zogeheten creatief schrijven dat een tijd lang in de mode was. De kinderen voerden hierbij een aantal – op zich zinvolle – opdrachtjes uit, schreven een tekstje en gingen over tot de orde van de dag. De praktijk heeft geleerd dat hier vaak sprake was van een maniertje dat niet zelden tot voorspelbare producten leidde. Kinderen moeten bij het poëzieonderwijs met kennis van zaken leren, kennis verkrijgen van de middelen die een dichter ter beschikking staan, bijvoorbeeld: klanken en ritme herkennen, vergelijkingen opmerken, een gedicht als een haiku herkennen en inzicht krijgen in de rol van alliteraties. Dit betekent dat een leerkracht hen op gezette tijden in aanraking brengt met het werk van professionals. Dit behoeven niet uitsluitend professionals te zijn die expliciet voor kinderen schrijven. Van professionele dichters kunnen we veel leren. Uiteraard moeten de leerlingen begrijpen dat het model, de aanpak van de professionele dichter, maar één manier van aanpak is en dat het vaak interessant(er) is van het voorbeeld af te wijken.

Natuurlijk mag het poëzieonderwijs zich niet beperken tot uitsluitend vormkwesties (al zijn die nog zo belangrijk). Gedichten kennen meestal een inhoud die emoties van allerlei aard kan oproepen. Dat betekent dat een leerkracht bij de keuze van de gedichten die hij onder de aandacht van zijn leerlingen wil brengen niet alleen moet weten wat zij cognitief, maar ook wat zij emotioneel aankunnen. Een leerkracht die serieus werk wil maken van de literaire vorming van de kinderen in zijn groep beschikt niet alleen over kennis van zaken (de leerstof), maar ook over kind-kennis (dat wil zeggen kennis van déze kinderen in déze groep).

Literaire vorming heeft ook alles te maken met smaakontwikkeling. We beschouwen (kinder)literatuur immers als kunstvorm. Smaakontwikkeling valt niet te verenigen met dwang, wel met een weloverwogen begeleiding van de lezer-in-ontwikkeling. Uiteindelijk moet het literatuuronderwijs ertoe leiden dat leerlingen zelf beargumenteerde oordelen kunnen uitspreken.

Met voldoende kennis van zaken poëzie leren lezen en schrijven vooronderstelt een systematische aanpak. Een team zou moeten komen tot een leerplan voor het poëzieonderwijs als onderdeel van het leerplan voor het taal-/leesonderwijs. Het betekent ook dat een team moet nadenken over de aanpak: zo af en toe eens gebruik maken van een 'geavanceerde' werkvorm leidt tot korte termijnsuccessen.

Als handvat voor het poëzieonderwijs in uw klas kunt u tenslotte gebruik maken van de vijf aanwijzingen die Jan van Coillie geeft in zijn boek *Leesbeesten en boekenfeesten* (Coillie, J. van, 1999):
– 'Laat je enthousiasme voor een gedicht blijken.'
  Kinderen merken meteen of een gedicht je persoonlijk aanspreekt of niet en dit is vaak de doorslaggevende factor voor het enthousiasme van het kind.
– 'Breng vaak en veel gedichten in de klas.'
  Indrukken, ervaringen, gebeurtenissen (zoals verjaardag, overlijden van iemand uit omgeving, lente etc.) krijgen met behulp van poëzie warmte en kleur. Het krijgt op die manier een plaats in de belevingswereld van het kind.
– 'Laat kinderen zelf ontdekken.'
  Gedichten lezen is ontdekken, het vinden van die regel of die strofe die je aanspreekt. Het is belangrijk dat kinderen de tijd en ruimte krijgen om dat zelf te zoeken.
– 'Wil niet met elk gedicht iets doen.'
  Niet elk gedicht hoeft een functie te hebben. Niet altijd hoeft er geknutseld te worden, of moet er een toneelstukje worden opgevoerd. Laat kinderen ook ervaren dat poëzie er is om er eenvoudigweg van te genieten.
– 'Stel je werkvorm in dienst van het gedicht.'
  Als je besluit iets te doen rondom een gedicht, zorg er dan voor dat de activiteit inspeelt op datgene wat het gedicht zo bijzonder maakt. Een grappig verhalend gedicht kan leiden tot een toneelstukje, een nonsensgedicht tot een tekening (zie ook latere hoofdstukken in dit handboek voor poëzieonderwijs).

De kerndoelen voor de Nederlandse taal die betrekking hebben op het poëzieonderwijs zijn opgenomen als bijlage 1 in dit handboek.

Hoofdstuk 2 'Liever kat dan dame'

Er was eens een dame in Bronk aan de Rijn,
die zei: Ik had liever een kat willen zijn.
Ik hoef me gelukkig voor niemand te schamen,
maar toch ben ik liever een kat dan een dame.

Annie M.G. Schmidt

Oriëntatie
Zonder gedichten geen poëzieonderwijs. Gelukkig leven we in een periode (we kunnen zelfs wel spreken van een bloeiperiode) waarin een leerkracht zonder al te veel moeite gedichten kan vinden die de kinderen in de groep kunnen lezen. In dit hoofdstuk wordt een overzicht gegeven van de moderne kinder- en jeugdpoëzie. Met 'modern' wordt globaal gesproken de periode na de Tweede Wereldoorlog bedoeld. Het heden valt zonder kennis van het verleden echter moeilijk te begrijpen. Vandaar dat wordt begonnen met een korte 'voorgeschiedenis'.

Het begin: Hieronymus van Alphen
Meestal laten we de Nederlandse kinder- en jeugdliteratuur beginnen in 1778. Toen verscheen namelijk het gedichtenbundeltje *Proeve van kleine gedigten voor kinderen* van Hieronymus van Alphen. Bijna iedereen kan van een aantal gedichten uit deze bundel de eerste regel citeren: 'Jantje zag eens pruimen hangen, o! als eieren zo groot', 'Mijn vader is mijn beste vrind, hij noemt mij steeds zijn lieve kind', 'Geduld is zulk een schoone zaak', en 'Cornelis had een glas gebroken. Voor aan de straat'. Veel verder dan deze regels komt men overigens meestal niet. Dat is niet vreemd:

ook van moderne gedichten kunnen we ons vaak niet meer dan een aantal, kennelijk aansprekende, regels herinneren. De 'Proeve' kende onmiddellijk een groot succes. Drie jaar later verscheen al de elfde druk. Bovendien werden de gedichten (zesenzestig in totaal) in een aantal talen vertaald. Kennelijk gaf Van Alphen de leesstof waaraan opvoeders destijds grote behoefte hadden.

Volgens het voorwoord van het bundeltje had Van Alphen slechts de bedoeling allerlei nuttige waarheden 'in rijm voor te dragen'. De inhoud van de gedichtjes wordt zowel bepaald door zijn geloof als door het opvoedkundig idealisme van de zogeheten Verlichting. Deze stroming in het pedagogisch denken stelde dat kennis en inzicht automatisch tot deugd zullen leiden. De voornaamste deugden waartoe Van Alphen de jonge lezers (die overigens wel afkomstig waren uit de gegoede standen in de maatschappij) oproept zijn: leergierigheid, geduld, gehoorzaamheid, dankbaarheid en nederigheid. Meestal wordt de deugdzame boodschap verpakt in een verhaaltje. In 'Eene kleine vertelling van Dorisje' bijvoorbeeld, geeft hij een gesprek weer tussen een aantal kinderen en Saartje.

Wij zaten laatst bij Saartje,
Onze oude goede baker,
Die sprookjes kan vertellen.
Wij dronken chocolade,
En deden honderd vragen.

Er ontspint zich een gesprek over de vraag welk van de vier jaargetijden de kinderen (de 'hartediefjes') voor het beste houden. Elk van de vier kinderen verdedigt een jaargetijde. Saartje spreekt het verlossende woord.

Dus moet gij, lieve kinders!
In alle jaargetijden
Gods wijze goedheid loven,
En wel te vrede wezen.

In een aantal gedichten staan geluk en gevoel meer voorop. Bijvoorbeeld in het bekende:

Ik ben een kind,
Van God bemind,
En tot geluk geschapen.

Opvallend is dat Van Alphen een onderwerp als de dood niet uit de weg gaat, er is immers een leven in het hiernamaals.

Mijn lieve kinders, schrikt tog niet,
Wanneer gij dode menschen ziet;
Zoudt gij voor lijken beven?
Kom hier: deez bleke koude man,
Die voelen, zien, noch horen kan,
Houdt nu niet op te leven.

De negentiende eeuw

Tot ver in de negentiende eeuw bleven de gedichten van Van Alphen zeer populair. Francyntje de Boer ('dienstmaagd te Sneek') nam in haar in 1822 gepubliceerde bundel *Gedichtjes voor Behoeftige Kinderen* bijvoorbeeld een gedicht op met de titel 'Herinnering aan den grooten kindervriend Hieronymus van Alphen'. De beide laatste strofen van dit gedicht luiden:

Ja, gij zegt misschien, bewogen:
Was van Alphen nog op aard,
Hartelijk zouden wij hem danken,
Hij was onze erkentenis waard.

O! gij kunt hem dank bewijzen,
Lieve Nederlandsche Jeugd!
Door het volgen van zijn lessen,
Door 't betrachten van de deugd.

Van Alphen kreeg in de negentiende eeuw veel navolgers die gedichten voor kinderen schreven waarin de deugd ernstig betracht werd. Deze epigonen slaagden er echter meestal niet in de deugdzame boodschap in een aanvaardbare esthetische vorm weer te geven.

Ernstige kritiek op Van Alphen leverde de dominee-dichter P.A. de Génestet. In zijn bekende gedicht *De Sint-Nikolaasavond* uit 1849 merkt hij bijvoorbeeld schamper op:

Nadat hij juist zoo pas het ouder-hart mocht zalven
Met vrome vaerskens van Hiero-nymus van Alphen.

In een acht jaar later verschenen lezing *Over kinderpoëzij* komt hij op Van Alphen terug. Hij vindt hem niet kinderlijk genoeg en hij spreekt volgens hem ook te veel 'van leeren, leeren en nog eens leeren'. Volgens De Génestet zijn kinderen die van leren houden geen echte kinderen. De helden uit de kinderverzen van Van Alphen zijn te zoetelijk en te volwassen. Hij acht de gedichten voor kinderen van J.J.A. Goeverneur of J.P. Heije veel hoger. Heije is de dichter van op muziek gezette teksten als *De Zilvervloot, In een blauw geruite kiel* en *Zie de maan schijnt door de boomen*. Ook in het volgende gedicht van Heije zien we een evergreen opduiken.

Bloemkweeken

Ik heb een' kleinen, kleinen tuin,
Daar kweek ik bloemen in;
En als mijn aardig zusje komt,
Dan zing ik blij van zin: –

'Klein kleuterke, klein kleuterke!
Wat doet gij in mijn hof?
Gij plukt er al de bloemkes af
En maakt het veel te grof!'

En als zij dan die plantjes ziet,
Met zooveel zorg gekweekt,
Dan wed ik, dat het lieve kind
Geen van de bloempjes breekt.

De eeuw van het kind

In de loop van de negentiende eeuw komen we
nog veel moralistische en lerende gedichten voor
kinderen tegen. Wel zien we langzamerhand dat
opvattingen als die van De Génestet, invloed krijgen op de kinderpoëzie. De impuls om bij het
schrijven van kindergedichten meer rekening te
houden met het 'echte kind' ging uit van pedagogische stromingen aan het begin van deze eeuw.
Veel pedagogen hielden er destijds een optimisti-
sche visie op na: kinderen zouden de kans moeten
krijgen ongestoord kind te zijn. Deze visie vinden
we bijvoorbeeld ook terug in de beroemde boekjes
van Jan Ligthart en H. Scheepstra. Generaties Ne-
derlanders hebben leren lezen door 'Ot en Sien'.
Het optimisme over het 'kinderlijke' kreeg soms
een idyllisch karakter. Bovendien werd de wereld
van het kind wel wat te sterk geïsoleerd van de wereld van de volwassenen. De pedagoge Lea Dasberg spreekt daarom van een (veilig) jeugdland
(Dasberg, 1975). In deze sfeer passen de kindergedichten van bijvoorbeeld O.S. van der Veen, Christine Doorman, G.W. Lovendaal en vooral Rie Cramer. Haar bundels zijn heel lang bekend gebleven
(en zijn dat eigenlijk nog). Daarbij heeft het feit
dat ze zelf voor zeer aansprekende illustraties zorg-
de, zeker geholpen. Twee gedichten van Rie Cramer (bijgaande illustratie is niet van haar):

Twee bloote beentjes,
Tien rose teentjes,
Klein spartelhandje,
Uit 't wiegemandje, -
Piep dat is Jantje.

en:

Het paasmandje
Vanmorgen stond er bij mijn bord
Toch wel zo'n prachtig mandje!
Een witte suikerkip erin
En eitjes langs het randje

Zes suikereitjes, roze en wit
Die liggen in een rijtje
Op 't kipje dat te broeden zit
Op nóg een suikereitje!

Drie generaties

De Paroolgroep

Met de verschijning in 1950 van *Het fluitketeltje* van
Annie M.G. Schmidt begint de moderne kinder- en
jeugdpoëzie. Critici als Greshoff en Morriën die
zich nog nooit met kinderliteratuur hadden bezig-
gehouden waren over de gedichten in deze bundel
zeer te spreken. Vanaf 1950 tot aan 1960 publiceerde Annie M.G. Schmidt ieder jaar een bundel, onder meer: *Dit is de spin Sebastiaan, Op visite bij de
reus, Veertien uilen* en *Ik ben lekker stout.* De gedichten verschenen voordat ze werden gebundeld in de
kinderkrant van *Het Parool.* Vandaar dat aan de generatie dichters voor kinderen die kort na de
Tweede Wereldoorlog publiceerden de naam 'Paroolgroep' is gegeven. We moeten daarbij wel bedenken dat deze aanduiding pas later is verzonnen
en dat lang niet alle dichters die (nu) tot deze
groep worden gerekend bij *Het Parool* hebben ge-

rkt. Het gaat om onder meer de volgende dich-
.s: Jac. van Hattum, Han G. Hoekstra, Daan Zon-
..rland, Diet Huber, Jac. van der Ster, Hans Andreus en natuurlijk de 'koningin' van de Nederlandse kinderpoëzie, Annie M.G. Schmidt. Wat maakt
de dichters van deze generatie zo bijzonder? Daar
is in de eerste plaats hun welhaast principiële keuze voor kinderen. Ze hadden er plezier in het ge-
zag van ouders en opvoeders te ondermijnen.
Daan Zonderland schreef bijvoorbeeld het volgende over een professor.

Er was eens een professor
Die at betonnen pap.
Dat deed hij niet uit honger,
Maar voor de wetenschap.

Annie M.G. Schmidt is vaak zeer uitgesproken in
haar solidariteit met kinderen. Ze kiest hun partij
tegen allerlei burgerlijke fatsoensnormen, zoals
het voor veel kinderen verschrikkelijke 'handjes
geven', dat aan bod komt in de eerste strofe van
het gedicht *Ik ben lekker stout.*

Ik wil niet meer, ik wil niet meer!
Ik wil geen handjes geven!
Ik wil niet zeggen elke keer:
Jawel mevrouw, jawel meneer...
nee, nooit meer in m'n leven!
Ik hou m'n handen op m'n rug
en ik zeg lekker niks terug!

In de literatuur bestaat een relatie tussen vorm en
inhoud. Enerzijds sloten de dichters van de Paroolgroep wat betreft rijm, metrum en versbouw aan
bij de gedichten voor volwassenen van de zogeheten Forumgeneratie, bijvoorbeeld Ed Hoornik, E.
du Perron en M. Vasalis. Deze dichters opteerden
voor toegankelijke poëzie, die op het eerste gezicht
eenvoudig overkomt. Ook had de Paroolgroep de
ironische aanpak gemeen met de poëzie van de
'Forum-dichters'. Anderzijds treffen we in de gedichten van deze groep ook de sterke invloed aan
van de traditionele bakerrijmpjes. Dit geldt met name voor dichters als Han G. Hoekstra en (de ook
in het Fries schrijvende) Diet Huber.

De dichters van de Paroolgroep kwamen ook met
elkaar overeen in hun liefde voor het spelen met
woorden. Han G. Hoekstra is de uitvinder van het
Hopsi-Topsi-Land en Annie M.G. Schmidt laat
mensen met vleugeltjes wonen in het land van Ka-
nebberdebebbe. Zij heeft de kinderliteratuur ook
allerlei klassieke figuren geschonken, zoals bijvoorbeeld Dikkertje Dap en het schaap Veronica; ze
verzon graag originele namen.

Het zoetste kind dat ik ooit zag
was Pieter Hendrik Hagelslag.
Hij veegde altijd trouw zijn voeten,
hij zat nooit in de goot te wroeten.

Ook Diet Huber heeft een groot aantal nieuwe namen en woorden aan het Nederlands toegevoegd:
De Zestienhuizer Zevenklauw, de koning van
Babong, de heks Wawoelika, de veter-eter en het
spook Flerk de Fladderaar. In haar nonsensgedich-
ten is deze dichteres duidelijk beïnvloed door de
Engelse nonsensliteratuur, bijvoorbeeld die van
Edward Lear. Veel van haar gedichten hebben een
sterk absurdistisch karakter waarin in principe alles
zich als levend wezen kan gedragen.

De snars, de fluit, de sikkepit
die zaten in een kolenkit.
De snars zei tot de andere twee:
't Verblijf hierbinnen valt niet mee!
Je wordt zo vies, en 't is zo nauw!

De Paroolgroep maakte nogal eens gebruik van tamelijk traditionele vormen. Tegelijkertijd zien we in de poëzie voor volwassenen het optreden van de Vijftigers, dichters die principieel braken met oude vormen en taalgebruik. Het gaat hier om dichters als: Lucebert, Gerrit Kouwenaar, Jan G. Elburg, Simon Vinkenoog, Jan Hanlo en ... Hans Andreus. De laatste dichter moet hier apart vermeld worden. In 1967 publiceerde hij een bundel kinderpoëzie, *Waarom daarom*. Dat was destijds tamelijk bijzonder: nog niet heel veel dichters voor volwassenen schreven ook gedichten voor kinderen. Andreus schrijft in zijn gedichten voor kinderen over dezelfde onderwerpen als in die voor volwassenen. Wel zijn zijn kindergedichten eenvoudiger, speelser, fantasierijker en humoristischer. In veel gevallen treffen we ook een melancholische ondertoon aan. Remco Ekkers schrijft over de kindergedichten van Hans Andreus: 'Ze zijn geschreven in een taal die het kind zelf gebruikt, en zo muzikaal en precies dat je het gevoel krijgt: zo is het helemaal goed.' Ekkers vindt dan ook dat naast Annie M.G. Schmidt en Han G. Hoekstra, Hans Andreus een revolutionaire rol heeft gespeeld bij de vernieuwing van de kinderpoëzie. Hans Andreus wordt tot de Paroolgroep gerekend. Wanneer we de gedichten in de vier bundels kinderpoëzie die hij heeft geschreven doornemen, blijkt dat hij ook als een voorloper beschouwd kan worden van de poëzie die door wat genoemd wordt de Blauw Geruite Kiel-groep wordt geschreven. Merkwaardig (en jammer) is dat de kinderpoëzie van Hans Andreus niet is opgenomen in zijn *Verzamelde Gedichten*. Een gedicht van deze Vijftiger onder de kinderdichters:

Het ruisen van de zee

Soms denk ik 's nachts in bed:
Hé,
ik hoor het ruisen van de zee.

Maar die is te verweg
en 't is alleen de snelweg
die zich (vooral in de nacht
van vrijdag op zaterdag) doet horen

als een eindeloze golfslag
aan mijn oren.

De Stratenmakeropzee-groep
Tot deze groep worden de dichters gerekend die destijds verenigd waren in het Schrijverscollectief: Willem Wilmink, Hans Dorrestijn, Karel Eykman, Ries Moonen, Jan Riem en Fetze Pijlman. Verwant aan deze groep zijn Jan Boerstoel en Ivo de Wijs. Het collectief schreef de teksten voor televisieprogramma's voor kinderen als *De Stratenmakeropzee-show*, *J.J. de Bom voorheen de kindervriend* en *De film van Ome Willem*. Eykman heeft over het ontstaan van deze groep het volgende opgemerkt: 'Wij waren vrij willekeurig bij elkaar geplukt door Aart Staartjes en we moesten binnen een paar weken de eerste teksten inleveren. De meesten hadden nog nauwelijks voor kinderen geschreven. Dat we met zoveel plezier in de kinderliteratuur verzeild geraakt zijn, is een gelukstreffer.'

Ook de dichters van deze groep kozen principieel voor solidariteit met kinderen. Zij waren (en zijn) van mening dat wanneer de moderne leefwereld van kinderen hun onvoldoende ruimte biedt, dat zelfs onderdrukkend kan werken. In de gedichten van de Stratenmakeropzeegroep komen we daardoor thema's tegen als milieuproblemen, oorlog, liefdesverdriet, leraren die niet deugen, ouders die gaan scheiden, gepest worden op school enzovoort; onderwerpen die tot dan toe in de kinder- en jeugdliteratuur taboe waren. De 'hardste' dichter van deze groep is Hans Dorrestijn, die vaak een provocerende houding aanneemt. Veel leerlingen van het voortgezet onderwijs hebben nogal eens te lijden onder de terreur van conciërges; Dorrestijn kiest partij.

Hou schoolconciërges in de gaten.
Dikwijls is het eng gebroed.
Boordevol van kinderhaat
en stapelgek op kinderbloed.
(fragment uit: De foute schoolconciërge)

De situatie van het moderne kind doet hem aan de eigen jeugd denken, bijvoorbeeld in het gedicht *'t Enge restaurant.*

'k Heb als kind zoveel geleden,
honderd maal zoveel als jij.
Ik had ouders hele wrede.
'k Kreeg daaglijks op mijn lazerij.
Mijn lot was door de weeks te dragen,
al sloegen ze met harde hand.
maar 'k moest alle zaterdagen
met ze mee naar 't enge restaurant,

't enge enge restaurant!

Zonder de andere leden van het Schrijverscollectief te kort te doen, kunnen we toch wel stellen dat Willem Wilmink van hen de bekendste is geworden. Hij schrijft vanuit de belevingswereld van kinderen. Zijn gedichten hebben vaak ook een functie: een kind laten ervaren dat het niet de enige is die diepgaande emotionele ervaringen opdoet. Een van zijn bundels heet waarschijnlijk niet voor niets *Ieder-*

een heeft dat wel eens. Eykman spreekt over literatuur als troost. In elke groep op school zit een aantal kinderen die 'niet kunnen meekomen'. Over hen – en gezien de opvattingen van Wilmink ook voor hen – heeft hij een gedicht geschreven 'De klok gaat me te vlug'. Langzame leerlingen zullen zich zeker in de weergegeven situaties herkennen.

Nu al tijd? Nu al naar binnen?
't Hoeft voor mij nog lang niet, hoor.
Maar de school gaat al beginnen,
en we gaan de schooldeur door
achter meester's brede rug.
     De klok gaat me te vlug.

Ja. Te vlug. En als ik meedoe
aan een leuke rekenles,
nou. Dan ben ik aan som 2 toe,
en de rest is aan som 6.
En dan gaat ineens de bel.
     De klok gaat me te snel.

Soms vertelt de meester grappen,
en dan lacht de hele klas.
Ik kan dat zo gauw niet snappen:
's Nachts in bed, dan lach ik pas.
Dan begrijp ik alles wel.
     De klok gaat me te snel.

Alles wat de anderen kunnen,
kan ik ook. Maar ik ben traag.
't Lijkt wel of ze 't me niet gunnen
als ik ook een keer wat vraag:
'k Hoor gelach achter mijn rug.
     De klok gaat me te vlug.

De schrijvers van het Schrijverscollectief schrijven gedichten die voor kinderen toegankelijk zijn, zonder dat ze overigens wat het taalgebruik betreft 'op de hurken gaan zitten'. Gezien de functie van deze gedichten in televisieprogramma's hebben ze ook meestal een duidelijk liedjeskarakter.

De geschiedenis van de kinder- en jeugdpoëzie vertellen aan de hand van elkaar opvolgende en beïnvloedende generaties en groepen heeft iets aantrekkelijks: het geeft een kader, een kapstok. Het nadeel van zo'n aanpak is echter dat bepaalde dichters die ook belangrijk waren en zijn, niet aan bod komen omdat ze niet direct tot een groep behoren of behoorden. Een auteur van liederen voor kinderen die niet tot het collectief behoorde, maar zeker aandacht verdient is Harrie Geelen die de teksten schreef (en de regie voerde) voor uitstekende kindertelevisieprogramma's als *Oebele* en *Kunt u mij de weg naar Hamelen vertellen, meneer?*. Veel van de liedjes uit deze programma's hadden het verdiend klassiek te worden. Gelukkig is een aantal van deze liedjes destijds op grammofoonplaat verschenen.

Nannie Kuiper is qua thematiek verwant aan de Stratenmakergroep. Aanvankelijk schreef zij vooral gedichten voor heel jonge kinderen, zoals het in 1982 met een Gouden Griffel bekroonde *De eend op de pot*. Marijke, de driejarige hoofdpersoon uit dit boekje, is bang voor de grote-mensen-w.c. en doet haar behoefte in een potje met een eendenkop dat zij de hele dag met zich meedraagt. In deze periode schreef ook Miep Diekmann gedichtjes 'voor de allerjongsten'. Ze publiceerde bijvoorbeeld de bundels *Stappe stappe step* (1979) en *Wiele wiele stap* (1979). Uit de eerste bundel is het volgende gedicht overgenomen.

tien zakken patat,
tien zakken drop,
tien torens ijs.

eet ik allemaal op.

ander eten wil ik niet,
ander eten lust ik niet.

puh, gaatjes in mijn tánden?
ik eet toch met mijn hánden?

De Blauw Geruite Kiel-groep
Een derde generatie dichters is genoemd naar een voor jongeren bedoeld deel van het weekblad *Vrij Nederland, De Blauw Geruite Kiel*. De redactie van deze – inmiddels verdwenen – jeugdpagina's is onder meer gevoerd door Aukje Holtrop en Karel Eykman (van hem is ook de misschien wat chauvinistische naamgeving aan de groep). Tot deze groep worden dichters gerekend als: Leendert Witvliet, Remco Ekkers, Wiel Kusters, Ted van Lieshout, Johanna Kruit, Daniël Billiet en Gerard Berends. (Van een aantal van deze dichters verschenen bundels in De Zonnewijzer-reeks bij Uitgeversmaatschappij Holland in Haarlem.)
De gedichten van Wilmink, Eykman en de zijnen, kenden zoals is aangegeven, een duidelijk liedjeskarakter. De 'Kielers' hebben een opener manier van dichten, hun gedichten kennen een minder strak metrum en minder strakke rijmschema's (bij liedjes zijn deze eigenschappen eigenlijk voorwaarde). Zij kiezen in tegenstelling tot hun voorgangers veelal niet voor maatschappelijke onderwerpen. Eykman heeft deze poëzie als volgt gekarakteriseerd: 'Er zijn hier niet zulke grote emotionele uitbarstingen meer. Er wordt eerder gepeinsd, gepiekerd en verwoord.' Ekkers die zelf tot deze generatie behoort, merkt op: 'In deze poëzie is ruimte

voor verwondering, voor het geheimzinnige.' Het volgende gedicht van Leendert Witvliet uit de bundel *Vogeltjes op je hoofd* illustreert dit.

Mus

In de tuin de mus met de witte kop,
vliegt op. Je denkt waarom,
alle mussen en de koolmees blijven
vandaag waar ze waren in de kale tuin.
Wat jammer dat nu juist
de mus met de witte kop wegvloog
uit dit paradijs in de winter
van pinda's aan een touwtje
kruimels en de kokosnoot.

Het is duidelijk dat hier een andere soort dichter aan het woord is dan bij *'t Enge restaurant!*

Veel gedichten van deze generatie zijn bij eerste lezing niet altijd even toegankelijk voor de lezers. Zij moeten onder meer open plekken in de tekst invullen, tussen de regels lezen en meerduidigheid van woorden opmerken. Deze poëzie wordt daarom ook wel beschouwd als overgangspoëzie naar de poëzie voor volwassenen. Het zal geen toeval zijn dat een aantal van de dichters die tot de Blauw Geruite Kiel-generatie behoren, ook gedichten voor volwassenen heeft geschreven. Soms is het zelfs nog maar moeilijk uit te maken of we met een gedicht voor volwassenen of voor jeugdigen van doen hebben. Wat bijvoorbeeld te denken van het volgende gedicht van Wiel Kusters.

Kinderkamer

Trek deze kamer maar aan,
tot boven je knie.
Ik neem nu je schepje. Je pyjama
is leeg, ga maar liggen
op je rug, rustig rustig
wat zand op je hoofd.
De deur moet wel dicht.

Remco Ekkers merkt bij de bespreking van dit gedicht eerlijk op: 'Terwijl ik aan het praten was, begreep ik het gedicht zelf. (Ook dat overkomt me vaak bij volwassen poëzie.) In het gedicht gaat het dus om de gevoelens van een kind. Dit maakt het tot een gedicht voor kinderen, ook al vraag ik me af hoeveel veertienjarigen spontaan van dit gedicht kunnen genieten.'

Ook Ted van Lieshout schrijft niet altijd even toegankelijke poëzie. De volgende titels zijn van zijn hand: *Van verdriet kun je grappige hoedjes vouwen*, *Mijn botjes zijn bekleed met deftig vel* en *Begin een torentje van niks* (voor deze bundel kreeg hij in 1995 een Gouden Griffel) en *Een lichtblauw kleurpotlood en een hollend huis*. In enkele van deze bundels toont van Lieshout ook zijn kwaliteiten als beeldend kunstenaar.

Het zou overigens een misverstand zijn te menen dat de allermodernste kinder- en jeugdpoëzie altijd ontoegankelijk zou zijn (en dus niet bruikbaar is in het basisonderwijs). Natuurlijk verschijnen er ook gedichten die wel toegankelijk zijn, of althans met enige moeite bereikbaar zijn. Als voorbeeld het volgende gedicht van Johanna Kruit.

Vakantiefilm

Soms gaan we weer met vakantie,
Het licht moet uit
en op het scherm komen we aan.

Dit is de camping
daar de kapotte stoel.
Moeder maakt soep
en ik een pijl en boog.

Bij het kanovaren
draait vader de film
altijd terug:

uit de boot gevallen
er weer in, en vlug tegen
de stroomversnelling op.

We lachen harder
dan toen het gebeurde.

Als kinderen de situatie doorhebben die in dit gedicht wordt weergegeven (en waarom zou een leerkracht hen daarbij niet een beetje kunnen helpen), zullen zij veel momenten van herkenning beleven.

Een lange traditie

In de vorige paragrafen is in vogelvlucht een overzicht gegeven van de geschiedenis van de kinder- en jeugdpoëzie vanaf 1778 tot 1950. Daarna is meer gedetailleerd ingegaan op drie 'stromingen' in de kinder- en jeugdpoëzie vanaf 1950. Dit betrof de 'officiële' literatuur. Dit overzicht zou incompleet zijn als geen aandacht geschonken zou worden aan de orale traditie: dat wil zeggen de versjes die mondeling werden en (nog steeds) worden overgeleverd. Het interessante is dat in een aantal gevallen de officiële dichters zich door deze traditie laten inspireren.

De versjes worden ook wel aangeduid met 'baker- en kinderrijmen'. Oorspronkelijk waren bakerrijmen rijmpjes die door bakers voor kleine kinderen werden gezongen of opgezegd. Tegenwoordig verstaan we er alle versjes onder die gezongen worden bij het opvoeden van jonge kinderen. Op grond van deze functie worden allerlei soorten bakerrijmpjes onderscheiden, zoals: wiegeliedjes, slaapliedjes, knierijversjes en dansliedjes. Bakerrijmpjes zijn onmiddellijk herkenbaar aan de vorm en het taalgebruik: korte vormen, eenvoudig taalgebruik, veel alliteraties, verkleinwoordjes, klankspelletjes en sterk ritmisch. Het gaat wel om mondeling overgeleverde versjes, maar dat betekent niet dat ze nooit zijn opgeschreven en uitgegeven. In Nederland is de in 1910 uitgegeven verzameling *Rijmpjes en versjes uit de oude doos* door S. Abramsz heel bekend en beroemd geworden. Deze verzameling heeft het tot veel herdrukken gebracht. In het boek van Abramsz treffen we alle bekende liedjes aan. Een keuze uit de inhoudsopgave: Naar bed, naar bed, zei Duimelot; Klein, klein kleutertje; Jan Huygen in de ton; Herder laat je schaapjes gaan; Olke bolke rube solke; Bim, bam beieren.

Tot de orale kinderliteratuur behoren ook allerlei rijmen die door kinderen zelf worden gezegd of gezongen. Het gaat hierbij bijvoorbeeld om kringliedjes, aftelversjes, springliedjes, sinterklaasversjes, raadseltjes en spotversjes. Niet mondeling overgeleverd, maar wel heel traditioneel zijn de poesiealbum-versjes (die ondanks allerlei pogingen om modernere versies te introduceren, niet uit de albums weg te denken zijn). Tot de kindercultuur behoren ook de talloze versjes die 'eigenlijk niet kunnen' om hun scabreuze inhoud.

In een blauw geruite jas
Staat rooie Henkie voor de klas,
De ga-a-a-a-anse dag.
Met een stokkie in z'n klauw
Slaat-ie de kindertjes bont en blauw
Au-auw, au-auw, au-auw!

Versjes als deze (en het is nog een heel net voorbeeld) zullen wel nooit de officiële bloemlezingen halen.

Dichters van kinder- en jeugdpoëzie hebben zich zoals gezegd veelvuldig door de traditionele versjes laten inspireren. De naam van Rie Cramer is al gevallen, maar hier moet zeker ook Han G. Hoekstra worden genoemd. Hij sloot zo nauw aan bij de traditie dat veel lezers waarschijnlijk gedacht hebben dat hij traditionele versjes woordelijk weergaf. Een voorbeeld uit de verzamelbundel *Rijmpjes en versjes uit de nieuwe doos* (deze bundel verscheen oorspronkelijk in 1952):

Barend is een boertje,
Arend heet zijn broertje
Sientje heet zijn zusje,
jasje aan een lusje.

Ook in onze tijd inspireren de oude versjes tot nieuwe. Hun invloed vinden we bijvoorbeeld bij Ienne Biemans. Uit de bundel *Mijn naam is Ka. Ik denk dat ik besta* waarmee zij in 1985 debuteerde, het volgende gedicht.

Bij juffrouw Jeuken
staat in de keuken:
een tafel met benen
een bord vol stenen
een stoel met armen
een kruis van erbarmen
een haan voor de tijd
een veger voor de vlijt
een kopje met een sopje van groene zeep
en dan moet je weten
dat niets er is versleten.
Je kunt de keuken huren voor een centje van drop
want juffrouw Jeuken is een oude pop.

Hoofdstuk 3 'hij gaf me kusjes voor drie nachten'

drie dagen

papa heeft me weggebracht
hij gaf me kusjes voor drie nachten
nu zit hij thuis op mij te wachten
ik ben er eventjes niet meer
ik logeer
met mijn beer, mijn ochtendjas
mijn zaklamp in mijn tas
ik mag zeggen wat we eten
maar ik weet het nu nog niet
misschien bakt opa pannenkoeken
anders kies ik friet
maar eerst ga ik hem vragen
duurt het lang, drie dagen

Hans en Monique Hagen

Oriëntatie

Bij poëzieonderwijs denkt zeker niet iedereen haast automatisch aan het onderwijs aan kinderen in de groepen 1 en 2 van de basisschool. Die kunnen – over het algemeen – immers nog niet lezen. In dit hoofdstuk wordt gewezen op het grote belang van deze periode voor de (literaire) ontwikkeling van kinderen. Ook al kunnen zij nog wel niet zelf lezen en schrijven. Net als in de andere hoofdstukken worden ook suggesties gegeven voor de manier waarop (in dit geval jonge) kinderen in aanraking gebracht kunnen worden met poëzie. Dat hierbij niet alleen gedacht hoeft te worden aan de bekende, traditionele, kinderversjes, bewijst onder meer het gedicht waarmee dit

hoofdstuk is geopend. Waarmee zeker niet gezegd wil zijn dat die traditionele kinderversjes geen plaats meer zouden moeten krijgen in het onderwijs!

Achtergrondinformatie

Het wordt steeds duidelijker dat voor veel kinderen de periode die vooraf gaat aan het (zelf) kunnen lezen en schrijven van teksten, als een kritische periode beschouwd moet worden. Dit geldt met name voor kinderen uit sociaal-cultureel zwakkere milieus. Kinderen met een gebrekkige voorschoolse taalverwerving lopen het gevaar met een grote achterstand aan het onderwijs in het 'echte' lezen en schrijven te beginnen.

Deze kritische periode in de literaire ontwikkeling van kinderen wordt tegenwoordig wel aangeduid met 'beginnende geletterdheid'. Het gaat om de vroege fase van schriftelijke taalverwerving, die eindigt op het moment dat kinderen de elementaire beginselen van het lezen en schrijven onder de knie hebben.

De omgeving waarin kinderen opgroeien en opgevoed worden, bepaalt in hoge mate of ze belangstelling krijgen voor het lezen en schrijven (en of ze het nut van het kunnen lezen en schrijven leren inzien). Een duidelijke uitspraak is in dit verband: 'Kennis van en inzicht in literatuur begint niet op school, maar op schoot'. Wanneer kinderen 'thuis' niet het 'goede voorbeeld' zien, zullen zij minder het belang van lezen en schrijven zien dan hun leeftijdgenootjes die opgroeien in een omgeving waarin lezen en schrijven tot het alledaagse leven behoren.

Onderzoek heeft aangetoond dat zich in de kleuterperiode twee belangrijke ontwikkelingen voordoen op het gebied van de taalverwerving. Twee ontwikkelingen die het mogelijk maken jonge kinderen – natuurlijk op een aan hun ontwikkelingsniveau aangepaste manier – met literatuur (verhalen, prentenboeken, gedichten en dergelijke) in aanraking te brengen.

In de eerste plaats leren deze kinderen dat een prentenboek dat ze samen met de leerkracht of met één van de ouders bekijken of het gedicht waarnaar ze luisteren, door iemand is gemaakt die niet zelf in het lokaal of thuis aanwezig is. Deze 'ontdekking' is voor de verdere ontwikkeling van hun communicatieve vaardigheden van heel groot belang.

In de tweede plaats kunnen kleuters leren stil te staan bij vormaspecten van eigen en andermans taalgebruik. Simpeler geformuleerd: zij gaan 'spelen met woorden'. Een voor het poëzieonderwijs belangrijke ontdekking!

Bij het onderwijs aan kleuters wordt tegenwoordig ook wel gesproken over de zogeheten basisontwikkeling (Janssen-Vos, 1997). Op veel scholen wordt aan deze ontwikkeling gewerkt door de kinderen een samenhangend aanbod van activiteiten aan te bieden. Deze moeten bijdragen aan hun ontwikkeling en ze moeten voor hen van betekenis zijn. Er worden in dit verband wel zes belangrijke activiteitengebieden onderscheiden, namelijk: werken met materialen, spel en spelen, werken met thema's en projecten, kringactiviteiten en activiteiten op het gebied van lezen, schrijven en rekenen. Deze laatste activiteiten moeten aan de orde komen in situaties die voor jonge kinderen van betekenis zijn.

De didactiek

Wat hier is weergegeven over de manier waarop kleuters leren, maakt dat in de groepen 1 en 2 veel minder dan in de volgende groepen sprake is van een systematische (programmagerichte) inleiding in het omgaan met poëtische teksten. Dat wil natuurlijk niet zeggen dat een leerkracht in deze groepen zou kunnen werken vanuit het 'vrijheid-blijheid-principe'. Hij of zij zal zich zeker niet alleen volgend, maar ook duidelijk begeleidend en activerend moeten opstellen.

In de groepen 1 en 2 worden geen poëzielessen gegeven, maar dat wil niet zeggen dat poëzie geen enkele rol in deze groepen zou kunnen spelen, integendeel.

Globaal gesproken zouden we met betrekking tot het leren omgaan met poëzie in de groepen 1 en 2 de volgende doelstellingen kunnen onderscheiden:

1 De kinderen leren hoe ze gedichten kunnen herkennen.
2 Ze ervaren dat sommige gedichten gebaseerd zijn op een spel van klanken en ritme.
3 Ze ervaren dat veel gedichten een inhoud hebben waarop je kunt reageren.
4 Ze ervaren dat het lezen van of het luisteren naar poëzie plezierig kan zijn.

Naast deze specifieke doelstellingen is ook sprake van een belangrijke overkoepelende doelstelling: de omgang met poëzie levert een bijdrage aan de ontwikkeling van de geletterdheid van de kinderen. Deze doelstelling houdt zeker niet in dat de omgang met gedichten in de groepen 1 en 2 uitsluitend in dienst zou staan van (uitsluitend voorbereidend zou zijn op) het taalonderwijs in de volgende groepen. Het 'poëzieonderwijs' in de onderbouw van het basisonderwijs is zeker ook van belang voor dèze kinderen in dèze groep.

Meer dan in de groepen 3 tot en met 8 heeft het poëzieonderwijs in de groepen 1 en 2 een open karakter. De leerkracht moet vaak inspelen op een situatie op een gegeven moment in een bepaalde groep. Dit betekent dat hij over een grote kennis van zaken dient te beschikken: hij moet weten welke gedichten in een gegeven situatie bruikbaar zijn. Sinds een aantal jaren beschikken we over een uitstekende bloemlezing met gedichten die geschikt zijn voor jonge kinderen: *Ik geef je niet voor een kaperschip Met tweehonderd witte zeilen*, samengesteld door Tine van Buul en Bianca Stigter. Deze bloemlezing zou in geen enkele basisschool mogen ontbreken. Een leerkracht vindt hierin niet alleen de oude, traditionele versjes, maar ook gedichten van moderne dichters voor kinderen. Een bijkomend voordeel is dat de opgenomen gedichten thematisch geordend zijn.

Mogelijkheden

Een gevarieerd aanbod
Het is belangrijk dat de kinderen in de groepen 1 en 2 in aanraking gebracht worden met veel en veelsoortige gedichten. De leerkracht leest zeer geregeld gedichten en versjes voor. Daarbij is het van belang dat hij zo veel mogelijk soorten gedichten laat horen: de bekende, traditionele bakerrijmpjes, raadselversjes, verhalende gedichten (bijvoorbeeld van Annie M.G. Schmidt), gedichten waarin dialogen zijn verwerkt, gedichten over de leef- en belevingswereld van de kinderen, onzingedichten (bijvoorbeeld van Diet Huber). Hierbij vertelt de leerkracht wie het gedicht heeft geschreven of wie de illustraties bij de gedichten heeft gemaakt. De kinderen moeten ervaren dat het gedicht dat meester of juf voorleest 'ergens' afgedrukt staat. Het geregeld voorlezen (of voordragen) van een gedicht

kan worden gerelateerd aan een situatie of gebeurtenis in de groep, maar dat hoeft niet per se. 'Zo maar' een gedicht laten horen is in de groepen 1 en 2 (maar ook in andere groepen) een prima werkvorm. Het is ook niet nodig dat de kinderen naar aanleiding van de beluisterde gedichten van alles gaan doen.

Bovendien is het geen vereiste het bij één keer voorlezen te laten. Een gedicht of versje dat aanslaat bij de kinderen kan meermalen ten gehore worden gebracht. De ervaring leert dat veel kinderen op den duur zelf het gedicht kunnen opzeggen en/of zingen.

Veel kinderen leren (gelukkig) thuis ook versjes. Er is natuurlijk niets op tegen hen in de gelegenheid te stellen deze versjes in de groep 'voor te dragen'. De leerkracht behoeft zich niet te beperkten tot het gesproken woord: veel gedichten voor kleuters hebben een duidelijk liedjeskarakter. Kinderen met poëzie in aanraking brengen kan ook door hen versjes te laten zingen en/of door hen te laten luisteren naar gezongen liedjes. Dit laatste behoeft niet altijd in de hele groep plaats te vinden. In de lees-schrijf-hoek kunnen kinderen individueel nog eens naar de liedjes luisteren.

Spelen en praten
In het bovenstaande is aangegeven dat het zo maar presenteren van een gedicht of versje een uitstekende manier is om kleuters in aanraking te brengen met poëzie. Een leerkracht kan de kinderen naar aanleiding van het gedicht ook het een en ander laten doen. Hierbij behoeft hij zich niet te beperken tot het laten maken van een tekening bij een beluisterd gedicht (al is dit natuurlijk ook weer niet verboden!). Veel gedichten lenen zich uitstekend voor een verwerking met behulp van dramatische werkvormen. Daarbij moet wel in ogenschouw worden genomen dat deze verwerking bij niet-ver-

halende gedichten de kinderen voor onoplosbare problemen zal stellen.

Het volgende gedicht van P. van Renssen kan prima door kinderen worden uitgebeeld. Bovendien worden zij als het ware spelenderwijs geconfronteerd met het verschijnsel 'tijd'.

Oude moeder Lindelaan

Om zes uur is ze opgestaan,
De oude moeder Lindelaan.

Om zeven uur schrapt ze peentjes,
Dat doet ze heel alleentjes.

Om acht uur maakt ze koffie klaar
De hele kamer ruikt ernaar.

Om negen uur gaat ze naar de schuur,
En maakt een praatje met haar buur.

Om tien uur hakt ze gauwtjes
Een hele mand met houtjes.

En loopt het tegen ellef uur,
Dan zet ze 't eten op het vuur.

Om twaalf uur is het eten gaar,
En maakt ze vlug de tafel klaar.

Peen met peulen, vis met roet –
O, wat smaakt dat eten goed!

Bij de verwerking van het gedicht van Van Renssen werden het luisteren naar een gedicht, het naspelen van de inhoud van het gedicht en de ontwikkeling van het tijdsbegrip gecombineerd. Zo'n geïntegreerde aanpak is bij veel andere gedichten mogelijk. Het nu volgende gedicht van Joke van Leeuwen biedt bijvoorbeeld uitstekende mogelijkheden voor het dramatiseren en voor de ontwikkeling van het getalbegrip.

Mevrouw De Pauw wou graag een hond.
Ze was zo vaak alleen.
Toen kreeg mevrouw De Pauw een hond
en dat was nummer één.

Mevrouw De Pauw liep door de stad.
Wat liep er met haar mee?
Een hondje dat geen baas meer had
en dat was nummer twee.

Mevrouw De Pauw liep door het land
en kocht voor haar plezier
twee honden in een hondemand.
Nu had ze er al vier.

Mevrouw De Pauw liep weer naar huis.
Wat kreeg ze daar te zien?
Zes honden onder het fornuis!
Nu had ze er al tíén!

Mevrouw De Pauw zat in haar stoel
en keek eens om zich heen.
Tien honden was een heleboel.
Ze was niet meer alleen.

Zoals is aangegeven zijn niet-verhalende gedichten nauwelijks geschikt voor verwerking met behulp van dramatische werkvormen. Veel van deze gedichten kunnen wel de aanleiding zijn voor een gesprek met een groepje kleuters over de inhoud. Deze heeft immers nogal eens betrekking op de leef- en belevingswereld van de kinderen. Goede dichters van gedichten voor jonge kinderen slagen erin een situatie zo weer te geven dat zij deze zonder al te veel moeite zullen herkennen. Hierbij kan bijvoorbeeld gedacht worden aan dichters als Willem Wilmink en Karel Eykman, maar ook aan Nannie Kuiper, Hans en Monique Hagen en Theo Olthuis. Veel kinderen zullen de situatie die Olthuis 'beschrijft' herkennen: alleen thuis zijn en dat is soms wel eens een beetje eng.

Alleen

Vanmiddag
ben ik bang geweest.
Er was niemand thuis,
alleen de poes en ik
én de visjes
in het aquarium
en toen ging opeens de bel!
Al m'n haartjes kwamen overend,
dat heet, geloof ik, kippevel.
Ik mag Nooit opendoen
zegt m'n moeder,
maar wél heel voorzichtig
door het raampje kijken
en dàt deed ik...
Opa!

En ook de inhoud van het volgende gedicht van Nannie Kuiper is zeker herkenbaar en kan aanleiding zijn tot een gesprekje met een groepje kleuters.

Jassen passen

Jassen passen
in de stad?

Vreselijk,
dat is me wat!

Aan en uit, uit en aan.
Niet bewegen,
stofstijf staan.

En dan gaat die éne jas,
die ik helemaal
niet mooi vind,
in een tas.

Rijm

Aangegeven is dat jonge kinderen belangstelling hebben voor het spelen met woorden en klanken. Het is daarom aan te bevelen dat leerkrachten van de groepen 1 en 2 zeer geregeld aandacht schenken aan het verschijnsel rijm. Het volgende overzicht – ontleend aan Handleiding 2 van de methode Balans – geeft een aantal mogelijkheden aan.

– De leerkracht laat veel rijmende raadsels en versjes horen. Daarna schrijft hij deze teksten op een flap, zodat de kinderen kunnen zien dat rijmende klanken corresponderen met dezelfde letters.

– De leerkracht biedt de kinderen zinsparen met gepaard rijm aan. Hij leest de eerste zin in zijn geheel en de tweede tot aan het rijmwoord voor. De kinderen maken de tweede regel af.

– De leerkracht laat een voorwerp zien. De kinderen noemen de naam van het voorwerp en zoeken vervolgens woorden die hierop rijmen.

– De leerkracht noemt telkens twee woorden. De kinderen geven aan (bijvoorbeeld door het opsteken van hun hand) of de woorden al of niet rijmen.

– De leerkracht geeft een zinnetje. De kinderen moeten er een tweede rijmend zinnetje bij bedenken.

– De leerkracht noemt een serie woorden die op elkaar rijmen. Hij zorgt ervoor dat één woord niet rijmt. De kinderen geven aan welk woord niet in het rijmende rijtje thuishoort.

– De leerkracht zegt een aantal versjes op, maar laat de laatste rijmende woorden weg. De kinderen moeten deze noemen.

– De leerkracht maakt een werkblad met een rijtje tekeningen. De kinderen moeten die tekeningen omcirkelen, waarvan de namen rijmen.

– De leerkracht maakt samen met de kinderen een plaatjes-rijmwoordenboekje. Onder de plaatjes kunnen de woorden genoteerd worden.

– De leerkracht maakt een dominospel van rijmende woorden. Op elke dominosteen staan twee afbeeldingen of twee woorden. De kinderen moeten het dominospel spelen door rijmende woorden of rijmende voorstellingen aan te sluiten.

Over het algemeen zal een leerkracht in de groepen 1 en 2 met niet al te lange gedichten en versjes werken. Hij hoeft zich hiertoe echter zeker niet te beperken. Het volgende gedicht van Jac. van der Ster is in deze groepen zeer goed bruikbaar (onder meer door de herhalingen aan het begin van de meeste strofen en doordat het spanning oproept door 'Zegt ie...').

De leerkracht kan de kinderen telkens het laatste rijmende woord laten zoeken. Als zij na het voorlezen van twee strofen 'het systeem' doorhebben, kunnen ze ook zelf de eerste drie regels zeggen (waarbij ze ook weer spelenderwijs geconfronteerd worden met getallen).

De trap

Zeven treden heeft de trap.
Als ik op de eerste stap,
Zegt ie...
Zou die zeggen als ie sprak:
Krak!?

Zeven treden heeft de trap.
Als ik op de tweede stap,
Zegt ie...
Maar natuurlijk zegt ie niks...
Kriks!

Zeven treden heeft de trap.
Als ik op de derde stap,
Zegt ie...
't Lijkt maar zo, doordat ik liep.
Piep!

Zeven treden heeft de trap.
Als ik op de vierde stap,
Zegt ie...
Nou, dat blijft maar onder ons.
Bons!

Zeven treden heeft de trap.
Als ik op de vijfde stap,
Zegt ie...
Zei die, als ie spreken kon...
Plon!

Zeven treden heeft de trap.
Als ik op de zesde stap,
Zegt ie...
Even denken... kom nou, vlug.
Uch!

Zeven treden heeft de trap.
Als ik op de laatste stap,
Zegt ie...
Nee, dat weet ik niet zo gauw...
Au!!!

Niks hoor, het is heus geen grap.
Dat zei ik en niet de trap.
'k Ben daarboven uitgegleden,
En nou lig ik weer beneden.

Zeg ik...
Nee, nou doe ik niet meer gek.
Vlug naar boven. Ik heb trek.
Krek!

Thema's

Aan het begin van dit hoofdstuk is aangegeven dat het thematisch werken wordt beschouwd als een belangrijke activiteit voor de basisontwikkeling. Er wordt in dit verband ook wel gezegd dat het thematisch werken één van de belangrijke verworvenheden van het kleuteronderwijs is. Het zou te ver voeren hier uitgebreid in te gaan op alle bijzonderheden van deze aanpak in het basisonderwijs. Over dit onderwerp bestaat bovendien een uitgebreide literatuurlijst. We beperken ons tot een beknopte beschrijving van een thema waarin de leerkracht werkt met gedichten over dieren.

In de eerste 'les' staat het gedrag van dieren centraal. Een leerkracht zou hierbij gebruik kunnen maken van een tweetal gedichten.

Haantje de voorste

Haantje de voorste
schudt zijn kop,
zet zijn kam en veren op,
opent zijn snavel...
Nu komt het: nú
– even nog schrapen –
kukeleku.

Mies Bouhuys

Naar aanleiding van dit gedicht gaat de leerkracht in op de verschillende geluiden die dieren maken: kwaken, krassen, piepen, blaffen, miauwen enzovoort. Als de kinderen veel geluiden hebben genoemd en hebben geproduceerd, leest de leerkracht het volgende gedicht van Lea Smulders voor (waarbij het de bedoeling is dat de weergegeven geluiden door de leerkracht worden geïmiteerd).

Ieder zijn zegje

Mèèèè, zegt het lammetje in de wei.
Boe, zegt het kalfje, speel je met mij?
Piep, zegt het kuikentje,
roek, zegt de duif,
woef, zegt de hond,
ik heb trek in een kluif.
Kwak, zegt de eend
en het poesje zegt mauw.
En jij dan konijntje,
wat zeg je me nou?

Samen met de kinderen maakt de leerkracht een kort rijmend gedicht met dierengeluiden.

Kippen ... (kakelen)
en eenden ... (snateren)
Tijgers ... (grommen)
en beren ... (brommen)

In de tweede 'les' leest de leerkracht het volgende gedicht voor.

Ben je ook zo'n beest?

Ben je ook zo'n beest,
zo'n dikke spin,
die denkt: Ik lok de domme dieren
mijn spinneweb in.
Ik weef ze met mijn draden vast,
dan zijn ze niemand meer tot last!

Ben je ook zo'n spin?

En roep je dan ook heel hard: 'Stil,
nu doen jullie maar wat IK wil!'

Floris zou best een spin willen zijn.
Voor een spin zijn bijna alle kinderen bang
en voor Floris is niemand bang.
Dat is jammer,
maar altijd in een web?
NEE!

Dolf Verroen en Nannie Kuiper

De leerkracht laat de kinderen fantaseren over:
Ben je ook zo'n beest,
zo'n ...
die ...
De kinderen stellen zich voor wat voor dier ze zouden willen zijn, verzinnen wat ze dan allemaal zouden kunnen doen en beelden het 'beestengedrag' zo mogelijk uit.

Tip 1: Er bestaan verschillende manieren om een versje of gedicht aan te leren. Een voorbeeld van een stappenplan voor het aanleren van een gedicht staat beschreven in het boek *Kansrijke taalhoeken in groep 1 t/m 8* van Monique Hansma (Hansma, M., 2001, p. 91 en verder). Dit stappenplan is met name in de midden- en bovenbouw te gebruiken.

36

Tip 2: In de boeken *Kansrijke taal voor peuters en kleuters* van Henk Hansma (Hansma, H., 1993) en *Kansrijke taalhoeken in groep 1 t/m 8* (Hansma, M., 2001) van Monique Hansma wordt o.a. beschreven hoe je een vaste rijmpjes- en versjeshoek c.q. gedichtenhoek op een school kunt inrichten.

Tip 3: Ander voorbeeldlessen voor poëzieonderwijs in groep 1 en 2 zijn te vinden in *Aan de slag met kinderboeken* (Kemmeren C., 2001, p. 52 en verder).

De tussendoelen voor groep 1 t/m 3 die betrekking hebben op poëzie en beginnende geletterdheid zijn als bijlage 2 opgenomen in dit handboek.

Hoofdstuk 4 'gewen uw pen om te delgen'

> *Mijn zoon, zo ge dichter wilt worden,*
> *gewen uw pen om te delgen.*
>
> *Hebt ge zeven woorden geschreven,*
> *gij zult er zes met de ban slaan.*
>
> *Ida Gerhardt*
> *(fragment uit 'Dichterspreuken I')*

Oriëntatie

Dit hoofdstuk geeft achtergrondinformatie over het schrijven van teksten in het algemeen en het schrijven van poëtische teksten in het bijzonder. Het uitgangspunt hierbij is dat bij het schrijven van teksten – ook poëtische – sprake is van een gefaseerd proces. In de paragraaf over de achtergrondinformatie wordt het schrijfproces beschreven. In de paragraaf over de didactiek wordt dit proces – met voorbeelden – nader toegelicht. De fasen van het schrijfproces geven aan hoe lessen over het schrijven van poëtische teksten kunnen worden opgezet. In dit hoofdstuk is een drietal voorbeeldlessen opgenomen. Deze kunnen dienst doen als een soort model dat bij het voorbereiden van lessen over het schrijven van poëtische teksten kan worden gevolgd ('kan', niet 'moet').

Achtergrondinformatie

Drie taalfuncties

Globaal gesproken kunnen we drie taalfuncties onderscheiden:
– De communicatieve functie
  Van deze functie is bijvoorbeeld sprake wanneer we taal gebruiken om informatie over te brengen of wanneer we iets willen betogen.
– De conceptuele functie
  Hierbij gaat het om het met behulp van taal ordenen van eigen gedachten en/of van kennis van de wereld om ons heen.
– De expressieve functie
  We gebruiken taal om gedachten en gevoelens te uiten. Hierbij ligt de nadruk duidelijk bij de spreker of de schrijver. Dit betekent echter niet dat deze in geen enkel opzicht rekening zou moeten houden met de luisteraar of de lezer. Iemand die bijvoorbeeld vol overgave uiting geeft aan zijn gevoelens voor iemand in zijn omgeving, hoopt dat zijn woorden niet aan dovemansoren gezegd zijn.

Met deze drie taalfuncties hangen drie soorten teksten samen. De eerste functie levert teksten op als: een zakenbrief, een instructie, een betoog of een tekst uit een encyclopedie. Bij de tweede functie kan onder meer gedacht worden aan een schema van een te bestuderen tekst, aantekeningen (bijvoorbeeld in een dag- of logboek). De derde functie heeft betrekking op het onderwerp van dit hoofdstuk: het schrijven van poëtische teksten.

We kunnen de opvatting wel tegenkomen dat de eerste en de tweede taalfunctie tot een ambachtelijke vorm van schrijven zouden leiden: er bestaan voorschriften en procedures die leerbaar zijn. Deze opvatting kan tot het misverstand leiden dat het schrijven van gedichten niets ambachtelijks zou bezitten: 'als je je maar expressief genoeg uitdrukt, krijg je vanzelf een goed gedicht'. Het is duidelijk dat deze opvatting zeker niet het uitgangspunt vormt voor de in dit hoofdstuk beschreven didactiek.

Het schrijfproces: algemeen

Heel lang lag bij het onderwijs in het schrijven van teksten de nadruk op het product. Menigeen zal zich nog op late leeftijd de wanhoop herinneren die hem overviel bij een opdracht als: 'Schrijf een opstel over het onderwerp 'Mijn broertje was zoek'. Het schrijfproduct is zeker niet onbelangrijk, maar tegenwoordig legt de schrijfdidactiek terecht ook veel nadruk op het proces dat een schrijver doorloopt om tot het product te komen. In schema ziet dit proces er als volgt uit.

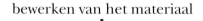

verzamelen van materiaal

↓

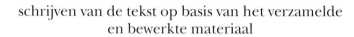

bewerken van het materiaal

↓

schrijven van de tekst op basis van het verzamelde en bewerkte materiaal

↓

correctie en herschrijven van de tekst.

Korte toelichting

De leerlingen moet geleerd worden hoe zij in elke fase van dit proces te werk kunnen gaan. Het gaat hierbij niet alleen om het weten, zij moeten in de gelegenheid worden gesteld veel te oefenen.

Zo moeten zij ten aanzien van de eerste fase allerlei technieken leren om materiaal te verzamelen. Voor het schrijven van informatieve en betogende teksten bestaat dit materiaal bijvoorbeeld uit feiten, begrippen, meningen, argumenten enzovoort. Wanneer de kinderen vervolgens het materiaal gaan bewerken, moeten zij onder meer geleerd hebben hoe het materiaal geselecteerd en geordend kan worden. Welk materiaal is wel en welk is niet bruikbaar in mijn tekst? Hoe kan ik ordening in het materiaal aanbrengen? Van belang in deze fase is dat zij weten voor wat voor soort tekst het materiaal bewerkt moet worden. Wat wil ik met de tekst berei-

ken? Welke vorm moet mijn tekst dus hebben? Voor het uitschrijven van de tekst moeten ze kennis hebben van de kenmerken van een aantal tekstsoorten. Het maakt bijvoorbeeld nogal wat uit of ze een verslag of een klachtenbrief moeten schrijven. Kennis van de tekstsoorten speelt ook in de laatste fase een rol. De hoofdvraag hierbij is: kan ik met deze tekst mijn schrijfdoel bereiken? In deze fase kan ook aandacht geschonken worden aan onderwerpen als: zinsbouw, woordgebruik, spelling en het juiste gebruik van alinea's (structuur van de tekst). Het is in deze fase ook vaak zinnig om kinderen met anderen (bijvoorbeeld medeleerlingen) te laten communiceren over een tekst.

Poëtische teksten schrijven

In tegenstelling tot het onderwijs in het zakelijk-informatief schrijven heeft het onderwijs in het expressief schrijven lang de nadruk gelegd op het proces. Het product, de tekst deed er minder toe. Een schrijver van een expressieve tekst kon zijn eigen regels stellen, hij moest vooral creatief en origineel zijn.

De laatste jaren wordt er in het onderwijs nog nauwelijks uitgegaan van een tegenstelling tussen zakelijk en creatief schrijven. Ook het schrijven van een zakelijke tekst doet een beroep op de creativiteit van de schrijver. Het eindproduct van het creatief schrijven moet ook aan criteria voldoen, zij het deels aan andere dan die we bij de beoordeling van een zakelijke tekst gebruiken. De bedoeling van de beide tekstsoorten is immers een andere.

De aard van de te schrijven teksten is bij het zakelijk en creatief schrijven dan wel verschillend, maar de weg ernaar toe is in grote trekken dezelfde. Kinderen die een gedicht schrijven, moeten ook materiaal verzamelen, bewerken en verwerken. En ook moeten zij leren dat er aan hun gedicht vaak nog veel te veranderen en te verbeteren valt.

De didactiek

In de voorgaande paragraaf is aangegeven dat ook bij het leren schrijven van poëtische teksten sprake is van een gefaseerde aanpak. Met de verschillende fasen moeten we de kinderen veel laten oefenen. Daarbij kan in bepaalde lessen de nadruk wat meer vallen op één van de fasen.

Het verzamelen van materiaal

Het materiaal voor een poëtische tekst bestaat in de eerste plaats uit woorden. Om kinderen te leren woordmateriaal te verzamelen, bestaat een groot aantal mogelijkheden.
In de eerste plaats allerlei associatie-oefeningen. Deze zijn gebaseerd op het principe: 'het ene woord roept het andere op'.
We kunnen hierbij meer of minder gestructureerd te werk gaan. De eenvoudigste vorm is de kinderen naar aanleiding van een beginwoord woorden te laten noemen die voor hen op enigerlei wijze iets met dit beginwoord van doen hebben.

ijs
schaatsen
koud
vriezen
glad

Maar ook:
ijs
roomijs
ijstaart
verjaardag
koel

De opgeroepen woorden kunnen ook in een zogeheten web worden weergegeven.

eenvoudig:

samengesteld:

Een andere mogelijkheid is het maken van een kettingassociatie: elk woord wordt bepaald door het voorafgaande woord.
klok ➤ slinger ➤ aap ➤ bos ➤ boom ➤ blad ➤ schrijven ➤ enzovoort.

Tot slot kan men ook begeleid associëren naar aanleiding van vragen:

kamer

Wat zie je?
Wat staat er op de vloer?
Wat hangt er aan de muur?
Welke kleuren zie je?
Welke geluiden hoor je?
Enzovoort.

Tussen de gebrainstormde woorden uit de voorgaande oefeningen bestaat een logisch en/of gevoelsmatig verband. We kunnen bij dit soort oefeningen ook spelregels inbouwen. Bijvoorbeeld:
- telkens een aantal op elkaar rijmende woorden opschrijven
- woorden laten verzamelen die klanken weergeven
- bij een aantal woorden zo veel mogelijk tegenstellingen noteren
- bij bepaalde begrippen woorden laten geven voor de gevoelens die deze woorden oproepen.

De prikkel tot het produceren van woorden wordt opgeroepen door een beginwoord of een beschreven situatie. Het is ook mogelijk met auditieve en/of visuele prikkels te werken. Muziek roept bij veel kinderen (en volwassenen) allerlei gevoelens en gedachten op. Woordassociaties geven op basis van beluisterde muziek is een uitstekende manier om kinderen veel woorden (en eventueel woordgroepen) te laten produceren. Vergelijkbaar is de aanpak waarbij zij moeten luisteren naar allerlei geluiden uit hun omgeving. Ook het beeld (foto's, illustraties, dia's, reproducties) kan gebruikt worden in de eerste fase van het schrijfproces. Hierbij kan een onderscheid gemaakt worden tussen woorden voor hetgeen de kinderen zien en woorden die hun gevoelens naar aanleiding van het beschouwde weergeven (zie voor de relatie tussen taal en beeld: hoofdstuk 8).

een gedicht voel je
van binnen als een liedje
je neuriet het
en dan schrijf je het op

Groep 4, BS Acaciahof

Bij het zakelijk schrijven kunnen kinderen feitelijk materiaal ontlenen aan onder andere bestaande teksten. Zo'n benadering is ook bij het schrijven van poëtische teksten mogelijk, alleen gaat het dan niet om feitelijke informatie, maar om woordmateriaal. Kinderen kunnen in het werk van professionele dichters op zoek gaan naar 'mooie woorden' (of woordcombinaties), woorden voor bepaalde gevoelens en/of stemmingen en dergelijke. Een voordeel van deze methode is dat zij welhaast spelenderwijs worden geconfronteerd met de taal die professionele dichters gebruiken.

Bewerken en schrijven

Tijdens het schrijfproces van een zakelijke tekst moet de schrijver bij het bewerken van het verzamelde materiaal doelgericht te werk gaan. Wat van het materiaal bruikbaar is, wordt in eerste instantie bepaald door de te schrijven tekstsoort en de bedoeling en dus de inhoud van deze tekst. Bij het schrijven van poëtische teksten is de werkwijze eigenlijk niet anders. De kinderen moeten weten wat voor soort gedicht van hen wordt verwacht. Op basis hiervan kunnen zij hun taalmateriaal be- en verwerken. Overigens moet dit ook al in de eerste fase van het schrijfproces duidelijk zijn. Wanneer van de kinderen gevraagd wordt een gedicht te schrijven waarin zij een herfststemming weergeven, is het zinvol hen woorden te laten verzamelen die hierop betrekking hebben (zie het voorbeeld van de woordveld-associatie). In deze bewerking- en verwerkingsfasen kunnen kinderen werken met vragen als:

- Wat voor soort gedicht ga ik schrijven?
- Wil ik een rijmend gedicht schrijven of juist niet?
- Ga ik deze keer een lang gedicht schrijven of juist niet?
- Wat wordt het onderwerp van mijn gedicht?
- Welke woorden zouden mooi in het gedicht passen?
- Welke woorden kan ik beter niet gebruiken?
- Welke woorden kan ik in een zin bij elkaar zetten?
- Welke zinnen horen duidelijk bij elkaar?
- Heb ik eigenlijk al genoeg woorden?

Het zal duidelijk zijn dat kinderen moeten leren op deze wijze te werken. Dat kan door hen geregeld deelopdrachten te geven, waarbij ze ook veel van elkaar kunnen leren. Omdat het structureren van een gedicht veel kinderen voor problemen zal stellen, is het van belang dat de leerkracht hen helpt door een voorbeeldstructuur te geven (zie de verschillende lesvoorbeelden in dit boek). Zo'n structuur vergemakkelijkt ook het bewerken van het materiaal.

Herschrijven
Een zakelijke tekst moet aan bepaalde eisen voldoen. Dat betekent dat een tekst die hieraan niet tegemoetkomt, door de kinderen herschreven moet worden. Onderzoek heeft uitgewezen dat dit herschrijven – met name wanneer daar overleg met een klasgenoot aan vooraf is gegaan – bij veel kinderen tot een duidelijke verbetering van hun productieve schrijfvaardigheid leidt.
Dat is bij poëtische teksten niet anders. Het is een misvatting dat bij gedichten die door kinderen zijn geschreven elke correctie achterwege gelaten zou moeten worden, omdat dit hun spontaniteit zou onderdrukken. Het lijkt heel pedagogisch om van elke tekst te zeggen: 'Leuk gedaan'. Maar hier is eigenlijk sprake van een pedagogische onderschatting van kinderen. Zij hebben er recht op dat hun schrijfproducten serieus worden genomen. Zij moeten bovendien ervaren dat een goede tekst niet per definitie in één keer op papier wordt gezet. Dat is ook de ervaring van professionele dichters die vaak vele versies van hun gedichten maken voordat ze tot publicatie overgaan (en ook daarna zijn ze nog niet altijd tevreden).

Het verbeteren van een gedicht kan in de eerste plaats betrekking hebben op duidelijke fouten: woordgebruik, zinsbouw, spelling of interpunctie. Een kwestie van goed of fout. Er kan ook sprake zijn van de tegenstelling goed – anders, dus beter. Hierbij gaat het om de vraag welke veranderingen kunnen bijdragen tot een beter gedicht. Een leerkracht zal in dezen doordacht moeten handelen, omdat hij zich geconfronteerd ziet met de spanningsverhouding tussen enerzijds het accepteren van het eigen, spontane taalgebruik van de leerlingen en anderzijds tamelijk objectieve kwaliteitscriteria. In ieder geval wordt hier niet een terugkeer naar het beruchte rode potlood bepleit.

Het is overigens niet noodzakelijkerwijs de leerkracht, die als corrector optreedt. Kinderen kunnen veel leren van het beoordelen van elkaars werk (bovendien is er dan ook minder sprake van de hierboven weergegeven spanningsverhouding). Maar ook beoordelen moet je (en kun je) leren. Het is handig als de kinderen met een aandachtspuntenlijstje leren werken. Punten die op dit lijstje kunnen voorkomen:
- Wat vind je het bijzondere aan dit gedicht?
- Wat vind je bijvoorbeeld mooi gezegd?
- Welke woorden of welke zinnen vallen je heel speciaal op? Waarom?

- Begrijp je alles of zou je van de dichter nog wel wat uitleg willen krijgen?
- Gebruikt de dichter te vaak dezelfde woorden?
- Heb je voorstellen om die woorden door andere te vervangen?
- Lopen alle zinnen mooi?
- Zou de dichter in bepaalde zinnen woorden moeten schrappen?
- Loopt een zin soms beter door er juist een woord aan toe te voegen?
- Vind je de rijmwoorden mooi gekozen?
- Waar zou je een ander rijmwoord hebben gekozen?
- Heb je daarvoor suggesties?
- Staan de zinnen in het gedicht in een goede volgorde?
- Hoe zou je deze volgorde kunnen verbeteren?

Opmerkingen:
Het is natuurlijk niet de bedoeling dat de kinderen elke keer met deze hele lijst aan het werk gaan. Er kan door de leerkracht een keuze gemaakt worden voor een aantal aandachtspunten. Deze lijst kan ook worden gebruikt bij het bespreken en beoordelen van gedichten van professionele dichters. Op basis van de aantekeningen die naar aanleiding van de aandachtspunten worden gemaakt, kunnen de kinderen een recensie of leesrapportje schrijven. En ten slotte lijken de aandachtspunten ook bruikbaar bij het schrijfproces: het lijstje leert de kinderen kritisch met hun eigen schrijfproduct om te gaan.

Leesdossier
Bij een leerkracht die het poëzieonderwijs serieus neemt, zullen de kinderen veel teksten schrijven. Het zou jammer zijn als deze teksten in de prullenbak terecht zouden komen. Daarom wordt aangeraden in elke groep voor iedere leerling een zogeheten leesdossier aan te leggen. In een (mooi versierde) map verzamelen de leerlingen gedurende een schooljaar al hun gedichten en andere teksten (bijvoorbeeld verhalen). Natuurlijk bevat zo'n dossier ook andere teksten: verslagen van gelezen gedichten en verhalen, overzichten van wat de kinderen hebben gelezen, stukjes uit de krant enzovoort. In het dossier kunnen ze ook allerlei ideeën voor eventueel nog eens te schrijven gedichten bewaren: losse krabbeltjes, mooie beginzinnen, aansprekende regels uit gedichten, zo maar ideeën, plaatjes die kunnen inspireren enzovoort. In een verloren moment kunnen deze bronnen misschien de nodige inspiratie leveren.

Naast het leesdossier kun je ook zelfgeschreven dichtbundels met de klas maken. Suggesties voor het maken van boeken in de klas staan in het boek *Boeken maken in de klas* van Margriet Dijkstra en Bea Pompert (2001, Assen).

Uitgewerkte lesvoorbeelden

LESVOORBEELD 1

TITEL VAN DE LESSENSERIE:
EEN BANAAN OP TAFEL
Onderwerp: rijmende gedichtjes schrijven
Bestemd voor: groep 4
Aantal lessen: 1

Doelen/activiteiten

- De kinderen schrijven een kort rijmend gedichtje.
- Zij ervaren hoe ze stapsgewijs tot het schrijven van een gedicht komen.

WERKWIJZE

Introductie

U schrijft het volgende versje op het bord.

Banaan
De kromme, gele banaan
Kan niet op de tafel staan

Daarna vertelt u dat het niet zo moeilijk is om zo'n versje te maken. U legt uit hoe u dit hebt aangepakt. 'Ik heb:
- twee dingen van een banaan verzonnen
- woorden verzonnen die op banaan rijmen
- een rijmwoord uitgekozen
- met de woorden twee rijmende zinnetjes gemaakt.'

Kern van de les

U noteert op het bord het woord: miertje
Vervolgens loopt u met de kinderen de aanpak door:
- Wat kunnen we allemaal over een miertje vertellen?
- Welke woorden rijmen op miertje?
- Wat is het mooiste rijmwoord?
- Kunnen we met de woorden die we hebben verzameld twee rijmende zinnen maken?

Uiteindelijk zou het volgende gedicht kunnen ontstaan.

Miertje
Een kriebelig, rood miertje
Loopt over mijn papiertje

Na dit klassikaal gemaakte gedicht (u kunt de gevolgde procedure natuurlijk nog eens herhalen met een ander 'startwoord'), gaan de kinderen indivi-

dueel of in groepjes aan het werk. Om hen te helpen, kunt u eerst samen een rijtje startwoorden verzinnen (eventueel met een aantal rijmwoorden).

Afsluiting

De kinderen lezen hun gedichtjes voor. Laat u hen kort commentaar geven op de voorgelezen tekstjes.

Opmerking:
In hoofdstuk 6 worden meer suggesties gegeven voor het werken met rijm.

LESVOORBEELD 2

TITEL VAN DE LESSENSERIE:
ALS IK BOOS BEN, DAN...
Onderwerp: een gedicht maken op basis van in woorden weergegeven gevoelens
Bestemd voor: groep 5
Aantal lessen: 1

Doelen/activiteiten
- De kinderen schrijven een gedicht over gevoelens in een bepaalde situatie.
- Zij ervaren hoe ze stapsgewijs tot zo'n gedicht kunnen komen.

WERKWIJZE

Introductie
U noteert op het bord de zin:

Als ik boos ben, dan...

Om de beurt laat u de kinderen dit zinnetje afmaken. Op het bord verschijnt een lange rij woorden en zinnen. Daarna laat u een aantal kinderen aangeven wanneer en waarom ze wel eens boos zijn en wat ze dan zoal doen. Noteert u ook deze situaties op het bord. Vervolgens laat u zien dat we met deze woorden een gedicht kunnen maken over het onderwerp 'boos'. Daarvoor kunnen we natuurlijk lang niet alle woorden gebruiken. We kiezen de beste uit. Bijvoorbeeld:

Boos

Mijn broertje laat me schrikken
Ik
scheld hem uit
bal mijn vuist
stamp op de grond
zal het hem betaald zetten

Kern van de les

In deze fase van de les laat u de kinderen oefenen met de weergegeven procedure. Eerst geven ze zo veel mogelijk aanvullingen op de zin:

Als ik vrolijk ben, dan...

Daarna vertellen zij wanneer en waarom ze vrolijk kunnen zijn en hoe ze dat laten blijken. Wanneer op deze wijze weer veel taalmateriaal is verzameld, maakt u met de kinderen een gedicht op het genoemde stramien (een situatie: wordt in één zin aangegeven).

Vrolijk

Ik
...
...
...
enzovoort

Daarna gaan zij individueel aan het werk. U kunt mogelijkheden geven, bijvoorbeeld:

Als ik verdrietig ben, dan...
Als ik bang ben, dan...

Wijst u hen wel heel duidelijk op de te volgen procedure:
– eerst zo veel mogelijk verzinnen bij het startzinnetje
– dan vertellen wanneer en waarom je verdrietig, bang enzovoort kunt zijn en wat je dan doet
– vervolgens woorden en zinnen kiezen die je in het gedicht kunt gebruiken
– en dan pas het gedicht schrijven.

Afsluiting

De kinderen lezen de gedichten aan elkaar voor en u laat hen commentaar geven (geeft u daarvoor een kort aandachtspuntenlijstje). Wijst u er hierbij op dat de manier waarop het gedicht wordt voorgelezen iets met de inhoud te maken moet hebben. Je kunt een gedicht over het onderwerp boos-zijn nu eenmaal niet vrolijk voorlezen.

LESVOORBEELD 3

TITEL VAN DE LESSENSERIE:
ALS JE GOED OM JE HEEN KIJKT
Onderwerp: visuele indrukken verwerken in een gedicht
Bestemd voor: groep 7
Aantal lessen: 1

Doelen/activiteiten

– De kinderen lezen een gedicht van K. Schippers.
– Zij gebruiken dit gedicht als inspiratiebron voor eigen teksten.
– Zij luisteren naar een gedicht van C. Buddingh' en K. Schippers.

WERKWIJZE

Introductie
De kinderen lezen het volgende gedichtje van K. Schippers.

De ontdekking

*Als je goed om
je heen kijkt
zie je dat alles
gekleurd is*

U laat de kinderen om zich heen kijken. Elk kind noemt een voorwerp met de bijbehorende kleur. Zij zullen tot de ontdekking komen dat de dichter 'de waarheid heeft gesproken'.

Kern van de les
U gebruikt het gedichtje als inspiratiebron voor schrijfactiviteiten van de kinderen. U noteert op het bord:

Als je goed om
je heen kijkt
zie je dat
een ...
een ...
een ...
rood is

Het zal de kinderen weinig moeite kosten deze tekst compleet te maken. Vervolgens laat u hen zo veel mogelijk andere mogelijkheden noemen. Je kunt met verschillende kleuren werken, maar ook met vormen.

Als je goed om
je heen kijkt
zie je dat
een ...
een ...
een ...
rond is

In groepen werken zij een aantal mogelijkheden verder uit. Daarna confronteert u hen met een variant.

Als je goed om
je heen kijkt
zie je dat
een ...
een ...
een ...
niet vierkant is

Ook op basis van deze variant gaan zij in groepjes aan het werk.

Afsluiting
U schrijft op het bord:

Wat je kan zien, maar niet kan horen

De leerlingen noemen zo veel mogelijk dingen die je wel kunt zien, maar niet kunt horen. Daarna leest u de volgende tekst van C. Buddingh' en K. Schippers voor.

Wat je kan zien, maar niet kan horen
(fragment)

Een stilstaande auto
een lamp
een doosje lucifers, dat op tafel ligt
een klok, die stil staat
een standbeeld
een schilderij
een kleur
een vliegtuig, dat buiten gehoorsafstand is
een speld
een rebus
een postzegel
een oog
een chocolaatje

een weiland
een drempel
een getekend poppetje
een vingerafdruk
een plafond

U laat de kinderen aangeven waarom het woord 'fragment' onder de titel van dit gedicht is geplaatst. Eventueel wordt dit gedicht de aanleiding tot het schrijven van een tekst door de kinderen.

Wat je kan horen, maar niet kan zien
...
...
...

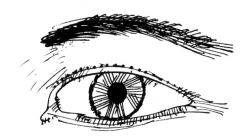

Hoofdstuk 5 'Het is te vroeg om een sonnet te schrijven'

> *Het is te vroeg om een sonnet te schrijven*
> *De halve wereld ligt nog op één oor*
> *Hoeveel ik ook bedenk en zie en hoor*
> *Het lukt me niet het rijmend in te lijven*
>
> *Ivo de Wijs*

Oriëntatie

Dit hoofdstuk is het eerste van een aantal hoofdstukken waarin wordt ingegaan op wat in hoofdstuk 1 'poëtische middelen' zijn genoemd. Het
gaat in de volgende hoofdstukken niet alleen om
het schrijven van poëtische teksten, maar ook om
de kennis van de poëtische middelen die een leerkracht kan onderwijzen. Deze kennis is niet alleen
belangrijk voor het begrijpend lezen en waarderen
van gedichten, maar ook voor het schrijven ervan.
De samenhang tussen lezen en schrijven van poëzie is immers een belangrijk uitgangspunt van het
poëzieonderwijs.

Achtergrondinformatie

Een dichter gebruikt allerlei grafische middelen
om zijn gedicht als gedicht herkenbaar te laten zijn
en om de betekenis, de bedoeling ervan te verdui-
delijken. (Een gedicht is op afstand 'herkenbaar'.)
Eerder is aangegeven dat het basisprincipe van een
gedicht niet de zin, maar de versregel is. Deze kan
soms samenvallen met een zin, maar dat is lang
niet altijd het geval. Soms kan één zin zich zelfs
over meer dan één strofe in het gedicht uitstrek-
ken. De eerste aanblik van een gedicht roept een
bepaald beeld op. Dit geeft een eerste aanwijzing
voor de manier waarop we dit gedicht zullen gaan
lezen.

Vergelijk het beeld van de beide volgende gedichten.

Rotterdam
Schiedam
Vlaardingen
Maassluis

hoekie om
trappie af

gekkenhuis

Jules Deelder

Zomer

Het land is warm
De weg is wit.

Het duin is leeg.
De zee is stil.

De zon is grijs
De dag is heel.

Gerrit Krol

Het beeld van het gedicht van Gerrit Krol laat in
één oogopslag zien dat deze voor een regelmatiger
opbouw van de strofen van het gedicht heeft gekozen dan Deelder.

We kunnen gedichten in twee groepen indelen:
vormvaste poëzie en vrije poëzie. Dichters die bij
voorkeur vormvaste gedichten schrijven, houden

zich aan allerlei afspraken en regels, ook wel poëtische conventies genoemd. We kunnen hierbij denken aan bijvoorbeeld: rijm, metrum, regelmatige strofenbouw en het gebruik van vaste vormen als een sonnet, kwatrijn, rondeel, ballade, haiku of elfje.

Vormvaste gedichten zijn aan de uiterlijke vorm, het beeld, te herkennen. Bij de vrije poëzie (vrije verzen) voelt een dichter zich veel minder gebonden aan allerlei regels en afspraken. Hij maakt nauwelijks gebruik van rijm (met name van eindrijm) of van vaste strofenvormen. Dit betekent niet dat deze poëzie geheel vormloos zou zijn ('een dichter doet maar wat'). Wanneer een dichter van vrije verzen meent een zin op een bepaald moment te moeten afbreken (en deze dus moet laten overgaan naar een volgende versregel of zelfs naar een volgende strofe), moet dat zinvol zijn. Bijvoorbeeld om een laatste woord van een versregel meer nadruk te geven of omdat het ritme van de versregel om zo'n afbreking vraagt. Het schrijven van vrije verzen moet meer zijn dan een aantal zinnen in stukjes geknipt onder elkaar zetten. Toen destijds (omstreeks 1950) de Vijftigers in de Nederlandse literatuur principieel kozen voor het vrije vers (als reactie op de in hun ogen verstarde gebonden poëzie) kregen zij veel navolgers die meenden dat gedichten schrijven zo moeilijk nog niet was. Je gaf gewoon maar een paar zinnen in 'brokjes' weer. Ook in de kinder- en jeugdpoëzie treffen we de tweedeling gebonden poëzie en vrije poëzie aan. Vergelijk bijvoorbeeld de gedichten van Annie M.G. Schmidt met die van Leendert Witvliet. De verschillen zijn in één oogopslag zichtbaar.

Literatuurwetenschappelijke handboeken geven overzichten van alle mogelijke soorten gedichten. Zo vinden we in het *Lexicon van literaire termen* een overzicht van wel 133 soorten! Daar staan soorten bij waarvan heel veel mensen waarschijnlijk nog nooit hebben gehoord. Wat bijvoorbeeld te denken van: neepkluit, gril, telestichon, ekfrasis, epicedium, planh, villanella en amoebaeum? Om greep te krijgen op de leerstof voor het poëzieonderwijs is enige systematisering natuurlijk noodzakelijk. We moeten een 'hap-snap-didactiek' vermijden. Bovendien is een overzicht van soorten gedichten ook handig voor het opstellen van een werkplan voor het poëzieonderwijs.

Verhalende gedichten

Tegenwoordig denken we bij poëtische teksten vooral aan lyrische gedichten waarin sprake is van het direct of indirect onder woorden brengen van 'gevoelens'. Heel lang kwam de poëzievorm ook voor bij verhalende en dramatische teksten. Denkt u aan de ridderromans uit de middeleeuwen en toneelstukken uit de zeventiende en achttiende eeuw. Soms maakt een moderne schrijver nog gebruik van poëtische middelen bij het schrijven van een tekst die een verhaal vertelt. Maar let wel, in tegenstelling tot de vormvaste poëzie hebben verhalende gedichten geen vaste opbouw, men maakt de indeling tussen verhalende en niet-verhalende poëzie op basis van de inhoud van een gedicht. Veel liedteksten (zeker in het populaire genre) hebben een verhalend karakter. Misschien hebben we hier te maken met een zekere traditie; denkt u bijvoorbeeld aan de liederen die vroeger op kermissen en tijdens markten werden voorgedragen. De toehoorders konden de tekst van het lied kopen. Het lied over de drievoudige moord te Koekange die in de nacht van 3 op 4 september 1909 plaatsvond, begint als volgt:

't Is geschied op de Drentse hei;
Om drie mensen te vermoorden,
Dat noemen wij een slachterij. (bis)

Geld speelde weer een rol in deze
Afschuwelijke broederenmoord;
Mensen die voor niemand vrezen;
Wie heeft dat nu ooit gehoord?

Roald Dahl herdichtte een aantal bekende sprookjes. 'Roodkapje en de wolf' begint bijvoorbeeld als volgt.

Op een der eerste lentedagen
voelde Wolf de honger knagen,
dus klopte hij bij grootmoe aan.
Zij deed open, zag hem staan
met scherpe tanden, valse lach.

Roodkapje is in het verhaal van Dahl wat minder volgzaam dan in het oorspronkelijke sprookje.

't Kind lacht en trekt in een wipje
een revolver uit haar slipje.
Ze richt hem op het grote beest
en beng, beng... die is er geweest!

In 1990 verscheen een soort vervolg op dit boek, Rijmsoep, waarin weer een aantal berijmde en gemoderniseerde sprookjes is opgenomen, zoals 'Hans en Grietje', 'Ali Baba en de veertig rovers' en 'Aladin en de wonderlamp'.
Verhalend-parodiërende gedichten heeft Ivo de Wijs opgenomen in *Een potje geschiedenis* (1989). Het 'verhaal' over de hunebedbouwers begint zo:

Ons landje was een koude delta, brrr...
Waar halfnaakt volk zich maar moest zien te redden
Toch zegt men, bouwden zij de hunebedden
Rond ongeveer tweeduizend jaar voor Chr.
(fragment uit: De hunebedden)

Naast de verhalend-beschrijvende gedichten (waar-

toe ook de bekende Japanse dichtvorm, de haiku, wordt gerekend), kunnen we nog vier andere groepen onderscheiden.

Vijf andere groepen
In de eerste plaats de 'echte' gevoels- en liefdeslyriek. Voorbeelden van deze groep zijn het sonnet en het rondeel. (Twee voorbeelden ook van vormvaste poëzie).
Een tweede groep bestaat uit lof-, feest- en klaagliederen. Tot deze groep behoren psalmen en gezangen, maar ook de liederen die we op hoogtijdagen zingen.
Tot een derde groep rekenen we de gedichten die een hekelende en/of satirische bedoeling hebben. Voorbeelden zijn het hekeldicht en het puntdicht. In de moderne kinder- en jeugdpoëzie treffen we gedichten aan waarin de dichter partij kiest voor kinderen die te lijden hebben onder het gedrag van hun ouders. Dit gedrag wordt impliciet gehekeld. Dichters die tot het Schrijverscollectief behoorden (zie hoofdstuk 2) hebben gedichten geschreven die het gedrag van ouders en ouderen hekelen.

Toen ik zelf een jongen was,
was het niet zo eer-
steklas,
jongens, eet nou
door.
In de oorlog, jon-
gens, toen
zagen wij van honger groen,
stel je dat maar eens voor.

Willem Wilmink

Van de volgende groep, de ludieke, speelse lyriek, vinden we in de kinderpoëzie talrijke voorbeelden:

de zogeheten nonsenspoëzie en de gedichten die we aanduiden met het begrip 'light verse', maar ook de gedichtjes voor (vooral jonge) kinderen die berusten op een spel van klanken en ritme. Een onder kinderen bijzonder populaire dichtvorm, de limerick, rekenen we ook tot deze groep. Prima voorbeelden van deze 'lichte verzen' voor kinderen treffen we aan in de in 1985 verschenen bundel *Humbug* van Walther Petri (vertaald door Hans Dorrestijn).

Bohomil

Bohomil
is een dwerg
zijn kamer
een noot
zijn spaargeld
een cent
zijn hoed
een snipper
zijn enig verlangen:
met zijn beentjes hangen

De laatste groep wordt gevormd door gedichten waarbij de dichter zich bezighoudt met een spel van grafische elementen. De dichter kiest voor het maken van een gedicht dat tegelijkertijd een talig en een beeldend kunstwerk is. We spreken in dit geval ook wel over concrete poëzie. De dichter wil de inhoud van het gedicht zichtbaar maken.

ping pong
   ping pong ping
   ping ping pong
      ping pong

Tot de concrete poëzie kunnen we ook de gedichten rekenen die door leerlingen met behulp van krantenkoppen worden samengesteld; een in het literatuuronderwijs veelvuldig toegepast middel.

De didactiek
Uit de weergegeven achtergrondinformatie volgt een aantal consequenties voor het poëzieonderwijs op de basisschool. Het gaat er in de eerste plaats om kinderen de kenmerken van poëtische teksten te laten ontdekken (waarbij sprake is van een begeleid ontdekken). Het moet in ieder geval duidelijk zijn dat rijm niet hèt kenmerk van deze teksten is. Tot de leerstof van het poëzieonderwijs behoort verder dat de kinderen ervaren dat we gedichten globaal gesproken in twee groepen kunnen indelen: de vormvaste en de vrije poëzie. Het gaat dan niet alleen om het weet hebben van de verschillen tussen deze beide groepen, maar ook om de 'gevolgen'. Liedjes en liederen behoren bijvoorbeeld tot de vormvaste poëzie. Het moet de leerlingen duidelijk worden hoe het komt dat vrije verzen nauwelijks – of in ieder geval veel minder gemakkelijk – zingend verklankt kunnen worden. Dit betekent bijvoorbeeld dat in het poëzieonderwijs liedjes en liederen ten gehore gebracht zouden moeten worden. De kinderen luisteren niet alleen naar teksten, maar ze zingen ook. De bekende feestdagen bieden daartoe uitstekende aanknopingspunten. Bovendien wordt zo bijna naadloos aangesloten bij de muziekles.

Het werkplan voor het poëzieonderwijs moet garanderen dat de kinderen met veel soorten gedichten in aanraking komen. Het onderwijs moet hun een brede oriëntatie bieden. Men kan zich bijvoorbeeld niet beperken tot het lezen of voordragen van humoristische versjes 'omdat de kinderen die zo leuk vinden'.
Een brede oriëntatie mag er echter ook weer niet toe leiden dat het poëziewerkplan een overladen

karakter krijgt. Dit kan onder meer worden tegengegaan door voor een zogeheten exemplarische aanpak te kiezen. In de lessen worden de kinderen geconfronteerd met een aantal typische (dat wil zeggen: duidelijke) voorbeelden van soorten gedichten. Aan de hand van deze voorbeeldgedichten leren zij de eigenschappen van deze soorten gedichten. (Met 'leren' wordt hier niet bedoeld: 'uit het hoofd leren'!)

In het onderwijs – en dat geldt zeker ook voor het poëzieonderwijs – kan niet alles ineens. Beter lijkt het daarom de exemplarische werkwijze te combineren met de concentrische: men gaat in de loop der jaren steeds dieper in op een bepaald onderwerp, waarbij rekening gehouden wordt met de leesontwikkeling van de kinderen.

Poëtische teksten worden – zoals reeds eerder is aangegeven – in de eerste plaats gekenmerkt door vormeigenschappen. In de volgende lessuggesties ligt daarom de nadruk hierop. Dat mag echter niet betekenen dat de inhoud van de gedichten die de kinderen lezen of waarnaar ze luisteren niet belangrijk zou zijn. (Of omgekeerd, zoals in lessen waarin de inhoud van de gedichten centraal staat, zie bijvoorbeeld hoofdstuk 9, de vorm er ook toe doet.)

Misschien ten overvloede: door goed poëzieonderwijs krijgen kinderen kennis van en inzicht in de kenmerken van poëtische teksten. Daarmee wil echter niet gezegd zijn dat we van hen een soort jonge literatuurwetenschappers maken.

Uitgewerkte lesvoorbeelden

LESVOORBEELD 1

TITEL VAN DE LESSENSERIE: DAT RIJMT
Onderwerp: kennismaking met poëtische middelen

Bestemd voor: eind groep 3/begin groep 4
Aantal lessen: 2

Doelen/activiteiten
– De leerlingen lezen (en luisteren naar) een aantal gedichten.
– Zij leren aan welke eigenschappen we een gedicht kunnen herkennen.
– Zij reageren op de inhoud van de gelezen en/of beluisterde gedichten.
– Zij schrijven zelf een (kort) gedicht.

WERKWIJZE

Les 1

Introductie
Aan het begin van deze les leest u een kort verhaaltje en een aantal gedichten voor. Probeert u twee duidelijk verschillende gedichtjes voor te lezen, bijvoorbeeld een vormvast en een meer vrij gedicht. Vervolgens zeggen de kinderen die dat willen een 'versje' op. Deze fase van de les mag gerust lang duren: een poëzieles – zeker in de groepen 3 en 4 – moet 'rijk zijn aan poëzie'.

Kern van de les
Wanneer de kinderen veel gedichtjes hebben beluisterd, begint de 'echte' les. De vraag 'Hoe weet je, hoor je, dat je naar een gedicht (versje) luistert en niet naar een verhaal?' staat centraal. Samen met de leerlingen uit de groep gaat u op zoek naar de eigenschappen van gedichten. Noteert u de antwoorden van de kinderen op het bord. Vervolgens bekijken zij een aantal gedichten. Voordat u deze voorleest, laat u de kinderen aangeven hoe zij kunnen zien dat het geen verhaaltjes, maar gedichten zijn. U kunt kiezen voor een kort en een iets langer gedicht. Bijvoorbeeld:

De zonnebloem

Nee, maar! De zon is gevallen!
Geloof je niet wat ik zeg?
Hij staat op een hoge stengel
te wiegelen langs de weg.

Mies Bouhuys

Shampoo in mijn haar
bellen aan mijn oren
toeter op mijn kop
molentjes erop
nog even
snippers scheuren
slinger om mijn nek
zo
en nu een eindje fietsen
dat vindt de wind zo leuk
ik ook

Jan 't Lam

U noteert ook op het bord waaraan de kinderen
een gedrukt gedicht kunnen herkennen.

Afsluiting
Het gedicht van Jan 't Lam leent zich er uitstekend
voor de kinderen het verschijnsel sfeer in een gedicht te laten ervaren. U leest het gedicht een keer
overdreven neutraal (zelfs wat somber) en een
keer heel vrolijk voor. De kinderen geven aan welke van de twee manieren het best is. Natuurlijk
kunt u ook een aantal kinderen het gedicht vrolijk
laten voorlezen.

Les 2

Introductie
In deze les gaan de kinderen zelf aan het werk, ze
schrijven één of meer korte, al of niet poëtische
tekstjes. U begint deze les met het voorlezen van
een tweetal gedichten die door kinderen zijn geschreven (dat vertelt u overigens pas nadat u de gedichten heeft voorgelezen). Voorbeelden:

bladeren dwarrelen
takken kraken
nu zal appeltaart
wel smaken

Eine Barentsen

dikki is al jaren
dood en als ik naar
zijn grafsteen kijk
dan denk ik dat
tie nog bij me staat
en dan zegt hij
tegen mij miejauw
en dat betekent
dat hij wil spelen

Fabiënne Meyer

U laat de kinderen eerst vertellen hoe ze kunnen
horen dat u twee gedichten hebt voorgelezen
(= herhaling van les 1). Daarna vertelt u dat de gedichten zijn geschreven door kinderen. Kinderen
kunnen dus zelf ook gedichten schrijven!

Kern van de les
Omdat het voor veel kinderen niet gemakkelijk is
'zo maar te beginnen' aan het schrijven van een gedichtje, geeft u hen een tweetal aanzetten. U noteert op het bord:

Ik ben blij dat
ik
...

Je kijkt zo donker
ben je ...

De kinderen vullen deze beginzinnen aan, ze mogen zo veel mogelijk verzinnen. Misschien vinden sommige kinderen deze opdracht (nog) moeilijk, zij zouden in een – niet al te groot – groepje met elkaar kunnen samenwerken, of u laat de kinderen klassikaal aanvullingen opnoemen en schrijft deze allemaal op het bord. Met deze ondersteuning kan elke leerling vervolgens individueel aan de slag. Het stimuleert de kinderen als u zelf ook een tekst schrijft. U laat de kinderen hun schrijfsels voorlezen (natuurlijk leest u ook uw teksten voor). U geeft ook (voorzichtig) commentaar door op mogelijke verschillen in aanpak te wijzen. Er zullen kinderen zijn die zich beperken tot het noteren van losse woorden, terwijl anderen voor een ietwat ingewikkelder vorm zullen kiezen. Bijvoorbeeld:

Je kijkt zo donker
ben je boos
of verdrietig?

Je kijkt zo donker
ben je boos
omdat je niet mee mag doen?

U kunt het gedicht van een aantal kinderen op het bord of op een groot vel papier schrijven. Eveneens is het aardig om de gedichten te verzamelen in den groepsgedichtenbundel die een plaats krijgt in de boekenhoek, zodat leerlingen hun eerdere schrijfsels (en die van anderen) nog eens terug kunnen lezen. Ook het plaatsen van enkele gedich-

ten in de schoolkrant is een leuke optie.

Afsluiting
De kinderen lezen het gedicht van een professional ter afsluiting van deze les.

Je kijkt zo donker
zit er een wolkje
in je oog?
Jan 't Lam

LESVOORBEELD 2

TITEL VAN DE LESSENSERIE:
GEDICHTEN IN SOORTEN
Onderwerp: soorten gedichten kunnen herkennen
Bestemd voor: eind groep 6/begin groep 7
Aantal lessen: 2

Doelen/activiteiten
– De kinderen lezen verschillende soorten gedichten.
– Zij ervaren dat we soorten gedichten kunnen onderscheiden op basis van hun functie en vorm.

WERKWIJZE

Les 1

Introductie
U noteert op het bord: We kunnen een gedicht herkennen aan... U laat de kinderen zo veel mogelijk kenmerken noemen en die noteert u op het bord. Waarschijnlijk zult u (weer/nog steeds) het misverstand uit de wereld moeten helpen dat gedichten altijd zouden moeten rijmen. Als ze u niet 'geloven', leest u een niet rijmend gedicht voor (laat daarbij vooral het ritme goed naar voren komen).

Kern van de les
U laat de kinderen het volgende fragment uit het door Roald Dahl berijmde en bewerkte sprookje 'Hans en Grietje' in stilte lezen.

Voor de deur van het gebouwtje
stond een allerliefst oud vrouwtje,
dat hen toelachte en zei:
'Je hebt vast honger, allebei.'
Ze gaf hen broodjes, koekjes, soesjes,
appels, peren, bessen, bramen.
De kinderen riepen: 'Dank u, dame!'
Ze lachte lief tegen de kleintjes
en zei daarna zacht en fijntjes:
'Koken is mijn liefhebberij.
Je eet nergens beter dan bij mij.'
En dadelijk zette ze alweer
een nieuwe schaal met eten neer.
Dit keer een knappend bruingebraden
groot stuk vlees, een soort rollade.
De kinderen smulden. De vrouw wou weten
of ze dit al eerder hadden gegeten.
Hansje vroeg: 'Is het soms lam?
Kalfsrollade misschien, of ham?
Maar wat het ook is, bil, dij of hals,
het is in ieder geval heerlijk mals.'
De vrouw zei terwijl ze 'n plak afsneed:
'Dit is het enige vlees dat ik eet.'
'Welk dier het is, dat weet ik niet,
maar het is vast jong,' zei Griet.

U laat de kinderen aangeven of ze herkennen uit welk verhaal dit een fragmentje (scène) is. Eventueel laat u één van de kinderen het gehele sprookje kort vertellen. U noteert vervolgens op het bord:

Dit is een gedicht omdat ...
Maar het is ook een soort verhaal omdat ...

U laat de kinderen deze beide zinnen aanvullen (natuurlijk noteert u weer een overzicht op het bord). Ook 'trekt u een conclusie': er zijn gedichten die een verhaal vertellen.

Het zou zonde zijn om het hierbij te laten. Gaat u ook in op de humoristische manier waarop Dahl het sprookje heeft bewerkt (u zult daarbij wel ietwat sturend moeten optreden).

Afsluiting
Het fragment leent zich uitstekend voor expressief voorlezen. U kunt daarbij de rollen verdelen: een verteller, de heks en Hans en Grietje. Eventueel werkt u eerst in groepjes van vier, waarna één of meer groepjes het fragment presenteren.

Les 2

Introductie
De kinderen lezen het volgende naamdicht.

J a zo heet ik
A an lopen heb ik een hekel
C adeaus krijg ik graag
Q emig wat een moeilijke letter
U niek is mijn snor
E venals mijn baard
S oep eet ik dus nooit

U vertelt dat dit een naamdicht is. Laat u de kinderen aangeven waarom we dit gedicht zo noemen. Het is natuurlijk net zo aardig als u een naamdicht naar aanleiding van uw eigen voornaam presenteert. Ook kunt u nog ingaan op het Wilhelmus; dit is immers ook een naamdicht (een leuk boek hiervoor is *Het Wilhelmus* van Willem Wilmink, Van Goor, 1994)

Kern van de les

De kinderen krijgen een werkblad waarmee zij in kleine groepjes aan het werk gaan. Dit blad kan er uit zien zoals afgebeeld op de pagina hiernaast.

Afsluiting

De groepjes rapporteren aan elkaar hun bevindingen. Neemt u hiervoor ruimschoots de tijd. U laat de gemaakte sinterklaasversjes voorlezen en een aantal aftelrijmpjes opzeggen. U wint natuurlijk tijd door de kinderen bij de 'rapportage' in groepjes te laten werken. Aan het einde van deze les voert u met de kinderen van uw groep een gesprek over de vraag wat ze in deze en de voorgaande les hebben geleerd over soorten gedichten.

LESVOORBEELD 3

TITEL VAN DE LES: PING PONGEN
Onderwerp: concrete poëzie
Bestemd voor: groep 8
Aantal lessen: 1

Doelen/activiteiten

- De kinderen 'lezen' voorbeelden van concrete poëzie.
- Zij leren dat ook bij deze vorm van gedichten sprake is van regels, van een systeem.
- Zij ervaren dat een dichter van concrete poëzie ook gebruik kan maken van de mogelijkheden die de taal biedt.
- Zij verwerken het geleerde in een eigen tekst.

WERKWIJZE

Introductie

De kinderen bekijken het volgende 'ping pong-gedicht'.

ping pong
   ping pong ping
   pong ping pong
     ping pong

U bespreekt (klassikaal) met de kinderen:
- Waar denk je aan als je dit gedicht ziet en leest?
- Uit hoeveel woorden bestaat dit gedicht?
- Vind je het eigenlijk wel een gedicht?
- De woorden lijken op elkaar. Ze verschillen maar op één punt, namelijk ...?

Kern van de les

U voert met de kinderen een gesprek over de vraag of de dichter zo maar willekeurig te werk is gegaan of valt er een systeem in het gedicht te ontdekken? Vervolgens geeft u de kinderen het gedicht in de volgende vorm.

ping pong ping pong ping
pong ping pong ping pong

U laat hen aangeven op hoeveel manieren we dit gedicht kunnen lezen (en u laat één of meer leerlingen het gedicht verklanken). Hierna laat u hen ontdekken dat de volgende notering minder mogelijkheden heeft.

ping pong
ping pong
ping pong
ping pong
ping pong

Hierna biedt u de kinderen het volgende gedicht aan van Robert Joseph.

Gedichten en versjes in soorten

Lieve Anne
Wees een zonnetje voor ieder.
Wees steeds eerlijk en oprecht.
Zeg niet alles wat je weet,
Maar weet alles wat je zegt.

Waar zou je zo'n versje kunnen vinden?
....

Weet je een naam voor zo'n versje?
....

Ik wil dromen

Ik ga slapen. Ik wil dromen
van een kindje in de wieg.
Ik ga slapen. Ik wil dromen
dat ik naar de sterren vlieg.
Ik ga slapen. Ik wil dromen
van citroenen aan een boom.
Ik ga slapen. Ik wil dromen
dat ik droom.

Willem Wilmink

Kun je uitleggen waarom we zo'n versje een
slaapliedje noemen?
....

Waarom zingt een vader of een moeder een
slaapliedje?
....

Voor jou heeft Sint iets moois bedacht,
het komt zeker niet onverwacht.
Sint kocht voor mama een vergiet,
voor rabarber, sla en friet.
  Sint

Natuurlijk is het helemaal niet moeilijk om te
vertellen wanneer we zo'n versje gebruiken.
Maak samen een kort sinterklaasversje (bijvoorbeeld van vier regels).
....

Modern aftelrijmpje

Iene miene
wasmachine,
Jan zit op z'n skoetertje,
toetert met z'n toetertje,
Ma gaat weer uit brommen,
kom nou maar weeromme,
alle boodschappen in huis,
Annemieke is niet wijs,
     die zit aan de ijskast vast,
     wie of nou de afwas wast?
     Vader kijkt naar de tv,
     ergert zich weer bont en blauw,
draai aan 't knoppie, weg ermee,
weg met jou.

Hans Andreus

Wanneer gebruik je een aftelrijmpje?
....

Waarom heeft de dichter dit een modern aftelrijmpje genoemd?
....

Zou je dit aftelrijmpje wel uit je hoofd willen
leren?
....

Welke aftelrijmpjes ken je zelf?
....

Eb en vloed

Zandzandzand
Zandzandzand
Zandzandzand

Zeezeezee
Zandzandzand
Zandzandzand

Zeezeezee
Zeezeezee
Zandzandzand

Zeezeezee
Zeezeezee
Zeezeezee

Zeezeezee
Zeezeezee
Zandzandzand

Zeezeezee
Zandzandzand
Zandzandzand

Zandzandzand
Zandzandzand
Zandzandzand

U laat de kinderen in groepjes het systeem in dit gedicht ontdekken.

Afsluiting

Met het gedicht *Eb en vloed* van Robert Joseph als voorbeeld gaan de kinderen aan het werk met het zelf schrijven van een concreet gedicht. Bijvoorbeeld met de woordcombinaties:

wolken – zon
of
wolken – wind – zon
of
groen – bruin – kaal
of
met name te noemen kledingstukken – bloot

Tip: Kinderen hebben in deze lessen ervaren dat zij zelf gedichten kunnen schrijven. Om een extra stimulans te geven voor het schrijven van gedichten kan u met de kinderen meedoen aan de jaarlijkse wedstrijd van de Stichting Kinderen en Poëzie.

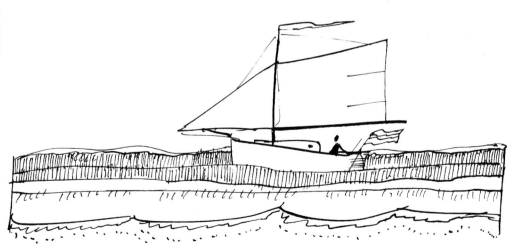

Hoofdstuk 6 'Ik voel me ozo heppie'

RIJM, RITME, METRUM EN BEELDSPRAAK

Ik voel me ozo heppie

Ik voel me ozo heppie
zo heppie deze dag,
en als je vraagt: wat heppie
als ik eens vragen mag,
dan zeg ik: hoe wat heppie,
wat heppik aan die vraag,
heppie nooit dat heppieje
dat ik hep vandaag?

Joke van Leeuwen

Oriëntatie

In hoofdstuk 1 is aangegeven dat in poëtische teksten sprake is van een bijzonder taalgebruik. Poëtische teksten houden er eigen regels op na. Een belangrijk kenmerk van dit bijzonder taalgebruik is het aspect 'herhaling'. Hierbij kan gedacht worden aan allerlei rijmvormen, metrum/ritme en vormen van beeldspraak. Wanneer we deze verschijnselen in teksten aantreffen, kunnen we met poëtische teksten te maken hebben. Rijm, ritme, metrum en beeldspraak vormen daarom essentiële onderdelen van het poëzieonderwijs op de basisschool. Het zijn ook deze aspecten die een bijdrage leveren aan de kunstzinnige vorming van kinderen.

Achtergrondinformatie

Rijm

Bij rijm is sprake van de herhaling van klanken binnen twee of meer woorden. Voorwaarde is dat deze woorden niet te ver uit elkaar in een gedicht voorkomen. De betreffende woorden moeten door de lezer met elkaar in verband kunnen worden gebracht. Daarnaast blijkt dat rijmende klanken altijd voorkomen in beklemtoonde lettergrepen. Rijm in gedichten is een erfenis uit de periode waarin poëzie er meer was om gehoord dan om gelezen te worden. Deze traditie blijkt ook uit het feit dat nogal wat dichters voor een gedicht dat ze hebben geschreven de aanduiding 'lied' gebruiken. Voor hen zijn de klanken (de muzikaliteit) van een gedicht kennelijk wezenlijk. (Denk in dit verband ook aan de betekenis van sonnet, namelijk klinkdicht.). In vormvaste poëzie structureert rijm het gedicht, het is bijvoorbeeld niet alleen een hulpmiddel bij het onderscheiden van de strofen, maar het kan ook relaties leggen tussen de verschillende regels van een strofe.

Voor veel kinderen (maar ook voor menig volwassene) is het verschijnsel rijm gelijk aan rijmende woorden aan het einde van de versregels (het zogeheten eindrijm). Bovendien moeten de woorden 'echt' rijmen: boos – roos, kleuren – geuren, tafelen – wafelen enzovoort. Dat er meer mogelijkheden bestaan, kan worden aangetoond aan de hand van het volgende gedicht van Hans en Monique Hagen uit de bundel *Jij bent de liefste*.

pijltjes

witte winter
wollen wanten
warme jas
waar gisteren
nog gras was
zie ik pijltjes
in de sneeuw
poes volgt de pootjes
van een spreeuw

mijn adem is een wolkje
witte schreeuw
vliegt door de lucht

vlug vogel vlucht

Dit gedicht van Hans en Monique Hagen is zeer klankrijk. Ze maken gebruik van 'zuiver' eindrijm: jas/was, sneeuw/spreeuw, lucht/vlucht. Bij dit eindrijm laten ze in een aantal gevallen uitsluitend de klinkers rijmen (= halfrijm): witte/winter/gisteren, wanten/warme/jas. Maar ook nog van alliteratie: witte/winter/wollen/wanten/warme/waar/wolkje, poes/pootjes, vliegt/vlug/vogel/vlucht. De samenhang tussen de eerste strofen blijkt nog sterker uit de herhaling van eerdere rijmklanken en alliteraties, zoals –eeuw, w-.

Ritme en metrum
Ook ritme en metrum berusten op herhaling. Meestal heeft een versregel twee of drie accenten. In het volgende gedicht van Hans Hagen uit de bundel *Salto Natale* is sprake van twee accenten per versregel.

Stom

trèin waait langs perròn
de dèuren zuchten òpen

je làchte op de ròltrap
èven of je mij al kènde

op het bànkje tegenòver
wòrstel ik mijn knìeën

zal ik wèl of zal ik nìet
ik zeg je vèel maar zonder wòorden

als ik nìet zo stòm was
wìst ik dat je hòorde

Tussen de twee ritmische kernen staan niet altijd evenveel lettergrepen. Een lezer van dit gedicht heeft de neiging tussen de duidelijk geaccentueerde lettergrepen te gaan versnellen of te vertragen. In dit geval spreekt men dus over het ritme van een gedicht. De versregels uit het gedicht van Hans Hagen kennen een herhaling van telkens twee beklemtoonde lettergrepen. Verder is er nauwelijks sprake van regelmaat. Dit is wel het geval in metrische versregels.

Metrum heeft namelijk betrekking op een regelmatige opeenvolging van beklemtoonde en onbeklemde lettergrepen. Een metrische versregel bestaat uit zogeheten versvoeten. Wanneer er in een versregel bijvoorbeeld sprake is van een regelmatige afwisseling van één onbeklemtoonde en één beklemtoonde lettergreep, noemen we zo'n versvoet een jambe.
Moderne dichters (ook van poëzie voor kinderen) maken nog maar weinig gebruik van metrische, maar daarentegen wel van ritmische versregels. Metrische versregels treffen we nog wel aan in gedichten voor heel jonge kinderen.

Beeldspraak
Heel vaak wordt poëtisch taalgebruik gelijkgesteld aan beeldend taalgebruik. Er is dan veelal sprake van vergelijkingen, waarbij twee of meer zaken die niet gelijk zijn aan elkaar op basis van een gemeenschappelijke eigenschap worden vergeleken. Bij een vergelijking gaat het om de 'regel': A is net als B, bijvoorbeeld: Een bloem is als een doos kleurtjes. Een volgende stap is de woordgroep 'is net als' weg te laten: Een bloem, een doos kleurtjes. Wanneer we nog een stap verder gaan (we spreken dan

van een metafoor) wordt het basiswoord (= A) weg-
gelaten.

Weilanden
met dozen kleurtjes
vrolijk kleur ik de hemel blauw
en de wolken wit

In het volgende gedicht van Hans Hagen is in de
tweede en de laatste regel sprake van metaforen
(die niet al te moeilijk te verklaren zijn).

Polderijs

roerloos staat de reiger
op het glas van de sloot
hij bekijkt de karper
naast zichzelf in spiegelbeeld

ik hef mijn bijl en sla een wak
de karper wordt stijf opgevist
– reiger eet uit diepvrieskist

Ook bij een bekend verschijnsel als personificatie
is sprake van een vorm van beeldspraak die berust
op een vergelijking. Levenloze zaken, voorwerpen
of abstracties worden bedeeld met menselijke eigenschappen.

Het huis is gaan slapen, ik lig in mijn bed
maar mijn oren houden de wacht.

Johanna Kruit

Donder gaf klappen in mijn gezicht.
Storm en regen maakten me bang.

Johanna Kruit

De didactiek

Poëzieonderwijs dat als een belangrijke doelstelling kent, dat het een bijdrage wil leveren aan het
met begrip leren lezen en waarderen van poëtische
teksten, behoort aandacht te schenken aan de hiervoor besproken ('technische') verschijnselen. Het
gaat er hierbij echter niet om de kinderen lastig te
vallen met allerlei theoretische zaken. Aan de hand
van het zelf schrijven van teksten en het lezen van
teksten van anderen (onder meer van professionele dichters) laten we de kinderen min of meer spelenderwijs allerlei technische zaken bij het schrijven en lezen van poëzie ervaren. Het gaat dus vooral om het (zelf) doen.

Onder andere om te vermijden dat de kinderen de
poëzielessen over een bepaald technisch verschijnsel als te abstract, te theoretisch zullen ervaren, is in
de uitgewerkte lesvoorbeelden gekozen voor een
aanpak die gebaseerd is op het volgende schema:
– De kinderen komen met een bepaald poëtisch
  verschijnsel in aanraking door hen een aantal
  schrijfopdrachten te laten uitvoeren.
– De leerkracht stimuleert dat zij over dit verschijnsel reflecteren.
– De kinderen gaan na hoe professionele dichters
  met het bewuste verschijnsel omgaan.
Door deze aanpak ondervinden de kinderen dat
een bepaald vormaspect helemaal niet vreemd
en/of moeilijk is.

Het lesvoorbeeld voor groep 4 heeft betrekking op
de verschijnselen ritme, metrum en intonatie. (Deze begrippen behoeven de kinderen natuurlijk niet
'te leren'.) Ritme en metrum moet je horen en
aanvoelen. Vandaar dat de leerlingen in deze lessen veel doen (klappen, bewegen enzovoort). Ook
ligt het voor de hand met deze les bij het expressief
voorlezen aan te sluiten.

In de lessenserie 'Rijmen en dichten', bestemd voor groep 6, houden de kinderen zich vooral bezig met (de functie) van het eindrijm in gedichten. Zoals is aangegeven associëren veel kinderen rijm welhaast automatisch met eindrijm. Ze ervaren in beide lessen ook dat dichters zich in hun gedichten niet altijd beperken tot het bekende/beruchte sinterklaasrijm, dat kan worden weergegeven met aa – bb – cc enzovoort. Misschien ten overvloede: ook hierbij gaat het er per se niet om de kinderen allerlei rijmschema's te leren. Overigens is het van belang dat door poëzieonderwijs kinderen ook gewaarworden dat rijm niet alleen aan het einde van een versregel kan voorkomen. Bovendien moeten de lessen over rijmvormen in gedichten zeker niet het misverstand versterken dat gedichten altijd zouden moeten rijmen. In een gedicht kunnen allerlei rijmvormen voorkomen, maar er bestaan tevens prachtige gedichten (ook die je zelf geschreven hebt) die in het geheel niet rijmen.

In de lessenserie voor groep 8 ondervinden de kinderen dat beeldspraak berust op vergelijking. Omdat metaforisch taalgebruik voor veel kinderen uit deze groep (nog) te moeilijk is, beperken de lessen zich tot twee 'regels': A is net als B en A – B.

Uitgewerkte lesvoorbeelden

LESVOORBEELD 1

TITEL VAN DE LESSENSERIE:
ZWIZZEL ZWIZZEL ZWIZZEL
Onderwerp: ritme en intonatie in gedichten
Bestemd voor: groep 4
Aantal lessen: 2

Doelen/activiteiten
– De kinderen ervaren aan de hand van een aan-

tal teksten de aspecten ritme en intonatie.
– Zij lezen een gedicht van Jan Hanlo.
– Zij schrijven en presenteren zelf een tweetal teksten.

WERKWIJZE

Introductie
U schrijft op het bord de ietwat merkwaardige woordcombinatie: zwizzel zwizzel zwizzel. Een aantal kinderen leest deze woorden voor: langzaam, sneller, heel snel enzovoort. Het voorlezen wordt begeleid door het in de handen klappen. Vervolgens voert u een gesprek over de vraag wat deze woorden kunnen betekenen en waar je ze kunt tegenkomen. U kunt de kinderen in dit verband bijvoorbeeld de vraag laten beantwoorden: Waaraan doen deze woorden je denken?

Kern van de les
De kinderen bekijken en lezen in stilte de volgende tekst.

Er is kermis in de stad.
Iedereen komt kijken.
Daar komen ze al aan.
Marietje huppelt voorop.

Papa kan haar bijna niet bijhouden met zijn nieuwe schoenen.

62

U laat de kinderen ontdekken dat de woorden/geluiden bij de schoenen heel ritmisch moeten worden uitgesproken. Daarna leest een aantal kinderen de gehele tekst voor. Het gaat erom dat ze met een aan de wijze van lopen aangepast ritme voorlezen. Natuurlijk kunnen de voorlezers het ritme op de tafel meetikken. Het is ook mogelijk deze tekst klassikaal te laten zeggen en/of een aantal kinderen op de wijze van Marietje, opa enzovoort te laten lopen.

Afsluiting

In groepjes van vier verzinnen de kinderen een paar schoenen (of laarzen) voor iemand die naar de kermis gaat. Zij tekenen de schoenen op een blaadje en schrijven er een zinnetje en een geluid bij. Natuurlijk presenteren de groepjes hun 'schoenenteksten' (presenteren = laten zien en horen). Deze opdracht kan gevarieerd worden door de kinderen voor een andere situatie dan de kermis de 'schoen te laten versieren'.

Tip: Experimenteer ook eens met andere geluiden uit het dagelijks leven. Een voorbeeld:

vol zakje chips

krrr krrr krrr krrr krrr
krrr krrr krrr krrr
krrr krrr krrr
krrr krrr
krrr

leeg zakje chips

Nicky van Tuinen

Les 2

Introductie

U noteert op het bord een aantal dierengeluiden, bijvoorbeeld:

tok tok tok tok
tok tok tok tok

kwak kwak kwak kwak
kwak kwak kwak kwak

piep piep piep piep
piep piep piep piep

De kinderen geven aan welke dieren deze geluiden kunnen maken. Vervolgens laat u enkele kinderen de weergegeven geluiden voorlezen. Maar u voert een paar 'spelregels' in, zoals:
– Hoe piept een muis die bang is?
– Hoe kwaakt een eend die heel boos is?
– Hoe tokt een kip die heel slaperig is?
Natuurlijk laat u hen ook zelf een aantal mogelijkheden ontdekken.

Kern van de les

De kinderen bekijken het bekende gedichtje van Jan Hanlo.

De mus
Tjielp tjielp – tjielp tjielp tjielp
tjielp tjielp tjielp – tjielp tjielp
tjielp tjielp tjielp tjielp tjielp tjielp
tjielp tjielp tjielp

Tjielp
etc.

Een aantal kinderen leest het gedichtje voor. Bespreekt u wel de functie van de twee streepjes in het gedicht. Waarom staan die daar? Waaraan moet je dus denken als je het gedicht voorleest?

Hierna laat u het gedicht van Hanlo op verschillende manieren voorlezen. Hier wordt dezelfde werkwijze gevolgd als die u in de inleiding van deze les hebt gebruikt, dus:
– Hoe tjielpt een mus die zenuwachtig is?
– Hoe tjielpt een mus die lekker in het zonnetje zit?
– Enzovoort.
(En ook hier kunnen de kinderen zelf mogelijkheden verzinnen en laten horen.)

Afsluiting
De kinderen schrijven zelf een kort gedichtje dat bestaat uit de weergave van dierengeluiden. U laat hen deze gedichtjes met verschillende intonaties en een verschillend ritme voorlezen. U eindigt deze beide lessen met het voorlezen van het gedicht van L.Th. Lehman.

Gesprek tussen twee muizen
Piep,
Piep,
Piep,
Piep,
Piep,
Piep, piep!
Piep!
Piep,
Piep, piep, piep.
Lievier tierks dien pieps!

Jiep!
Piep, piep, piep!
Piep...

LESVOORBEELD 2

TITEL VAN DE LESSENSERIE:
RIJMEN EN DICHTEN
Onderwerp: eindrijm in gedichten
Bestemd voor: groep 6
Aantal lessen: 2

Doelen/activiteiten
– De kinderen voeren een aantal rijmoefeningen uit.
– Ze lezen een aantal gedichten en gaan na op welke wijze de dichters gebruik hebben gemaakt van eindrijm.
– Zij ervaren de functie van eindrijm in gedichten.

WERKWIJZE

Les 1

Introductie
U begint de beide lessen over eindrijm met de volgende (vrij bekende) rijmoefening.
Geen ... zonder ...
geen ... zonder ...
U geeft aan dat we met deze woorden een rijmend gedichtje kunnen maken:

Geen boom zonder blad
geen inkt zonder spat

Vervolgens laat u de kinderen ook mogelijkheden noemen. Natuurlijk introduceert u in deze fase het begrip 'rijm' (zo dat overigens nog nodig is!).

Kern van de les
In deze fase van de les is het vooral van belang dat de kinderen veel oefenen met rijmen. u kunt ge-

bruik maken van de volgende oefeningen.

1 Zoals ... hoort bij ...
  hoor ... bij ...
  (Zoals een traan hoort bij verdriet
  hoort Lenie bij Piet)

2 Een ... is geen ...
  een ... is geen ...
  (Een worst is geen kaas
  een knecht is geen baas)

3 Rijmsommen
  2 x 4 = 8
  Wat heb ik lang gewacht

4 Rijmende vragen
  Heb je niets vergeten?
  Ik zou het niet weten

Afsluiting

In deze fase van de les werkt u 'andersom'; u geeft de kinderen een aantal rijmende woorden. Deze verwerken zij in een kort gedichtje. Het is ook mogelijk de kinderen variaties te laten verzinnen op hun bekende rijmpjes:

Ik zag twee beren
broodjes smeren

Ik zag twee apen
nootjes rapen

Les 2

Introductie

U leest het volgende gedicht van Kees Stip voor. U laat telkens het enjambement (het afbreken van de versregel op een ongebruikelijke plaats) overdreven horen.

Op een vlo

Een springerige vlo te Vlij-
men sprong in allerhande rij-
men van de ene regel o-
ver op de andere: hoe po-
ver is een dichter die wil grij-
pen wat niet huppelt naar zijn pij-
pen.

U gaat na of de kinderen kunnen horen hoe Stip de rijmdwang op speelse wijze heeft opgelost. Vervolgens deelt u de tekst van het gedicht uit: het merkwaardig gebruik van rijm is duidelijk te zien.

Kern van de les

De kinderen lezen het volgende gedicht van Bas Rompa.

Ik

Ik ben verliefd op ... Marian
En snap maar niet hoe dat nu kan
Zij heeft rood haar, ik val op blond
Ik hou van slank en zij is rond

Het is haar stem, het is haar geur
Het is haar blik, waar ik van kleur

Samen met u gaan de kinderen na op welke wijze Rompa gebruik heeft gemaakt van het eindrijm (aa – bb – cc). Laat hen met een (verschillende) kleur streepjes zetten onder de rijmwoorden.

Vervolgens gaan de kinderen aan het werk met de volgende drie korte gedichten: zij zetten gekleurde streepjes onder de rijmwoorden. Zo ontdekken zij dat er met betrekking tot het gebruik van eindrijm verschillende mogelijkheden bestaan.

Bootje

Het water gaat langs de kanten heen
Het watervlak en je ivoren been

Een lam – een edelsteen – een kind –
Een bootje in de Maartse wind

Jan Hanlo

Maart roert zijn staart

Mijn meisje heeft een paardestaart
met speldjes en een strik.
Het regent en het waait in maart.
Maar in dat staartje heb ik schik.

Wiel Kusters

Oud en versleten

'Als je oud bent en versleten,
kun je alles niet meer weten,'
zegt mijn oma tegen mij.

'Eén ding zal ik nooit vergeten:
toen ik jong was, zoals jij,
wou ik alles beter weten,
maar dat hoort er – denk ik – bij!'

Nannie Kuiper

Afsluiting

In deze afsluitende fase gaan de kinderen op zoek naar rijmwoorden die in een gedicht moeten passen. U kunt hiervoor bijvoorbeeld het volgende gedicht van Willem Wilmink gebruiken.

Rond of vierkant

Toen ik nog een jongen was,
zat ik heel vaak in het ...
en ik speelde in de zon
met mijn vierkante ...

's Avonds hadden we ontbijt.
O, wat leuk was het ...
als mijn vierkant bordje kwam
met mijn ronde ...

Toen ik nog een jongen was,
had ik appels in mijn ...
Appels smaken juist zo fijn
omdat appels vierkant ...

(De ontbrekende woorden zijn: gras, ballon, altijd, boterham, tas en zijn.)

Opmerking:
Hoewel in deze tweede les het technisch aspect 'eindrijm' centraal staat, spreekt het vanzelf dat u ook aandacht schenkt aan de inhoud van de gedichten die de kinderen lezen.

LESVOORBEELD 3

TITEL VAN DE LESSENSERIE:
MET EEN BLOEM WIL IK JE VERGELIJKEN
Onderwerp: vergelijkingen in poëzie
Bestemd voor: groep 8
Aantal lessen: 2

Doelen/activiteiten
– De kinderen voeren een aantal schrijfoefeningen met vergelijkingen uit.
– Zij ervaren op welke manieren zaken met elkaar vergeleken kunnen worden.

66

– Zij lezen een aantal gedichten en gaan na welke functie vergelijkingen hierin hebben.

WERKWIJZE

Les 1

Introductie

U noteert op het bord:

Een vogel is net als een ...

Elk kind noteert individueel één of meer aanvullingen op deze uitspraak. U schrijft zo veel mogelijk aanvullingen op het bord. Soms zullen de kinderen bij het woord 'vogel' denken aan geluid, soms aan een stemming die door het geluid wordt opgeroepen en misschien geven zij ook wel associaties weer die met kleuren te maken hebben.

Kern van de les

Na de introductie gaan de leerlingen individueel aan het werk. Ze 'verzamelen' zo veel mogelijk vergelijkingen. Waarschijnlijk zal een aantal leerlingen behoefte hebben aan enkele beginwoorden:
– een weiland is net als ...
– een pen is net als ...
– een boom is net als ...
Vervolgens schrijven de kinderen één vergelijking op een blaadje. Bijvoorbeeld: Een boom is net als een reus. Daarna wisselen zij hun blaadje met de vergelijking uit met een klasgenoot. Ze proberen aan te geven op welke gronden een bepaalde vergelijking is gemaakt:
Een boom is net als een reus (kind 1)
omdat ze alle twee groot zijn (kind 2)
De kinderen voeren overleg: klopt de verklaring wel, zijn er nog meer mogelijkheden?

Afsluiting

U bespreekt de voorgaande oefening klassikaal na (de reflectie). Het gaat hierbij om twee vragen:
– Op welke manieren kun je twee dingen met elkaar vergelijken?
– Is elke vergelijking meteen duidelijk, of moet je er toch wel even over nadenken?

Les 2

Introductie

U laat op het bord een gedicht 'ontstaan' waarin sprake is van een vergelijking. Bijvoorbeeld:
Een merel is als fluitmuziek
U veegt 'is als' weg:
Een merel, fluitmuziek
U voegt een aantal versregels toe:
Een merel, fluitmuziek
zacht zingt hij in de regen
voorjaar.

Kern van de les

De kinderen gaan na hoe vergelijkingen in gedichten functioneren. U bespreekt bijvoorbeeld eerst klassikaal het volgende gedicht (geschreven door een vijftienjarige).

De ramp

Olie druipt langzaam in zee.
Zwart als de nacht wordt het water.
Vogels, te laat, hun vleugels als lijm.
Zeehonden, hulp'loos hun ogen.
Duister hun toekomst, hun dood is nabij.

Sonja Konijnenburg

U laat de kinderen vertellen welke vergelijkingen zij in dit gedicht zien. Ook laat u hen aangeven of de vergelijkingen goed gekozen zijn.

Vervolgens gaan zij op zoek naar vergelijkingen in gedichten, bijvoorbeeld:

Boom

Stronk met blaadjes
Paal in de lucht
Long van moeder aarde
Wat mooi, zucht...

Marcel van Leeuwen

Lamp

het leven is een veer
zei opa
het springt op
maar steeds meer neer
oud zijn maakt me moe

het leven is een lamp
zei opa zacht
een puntje licht
het knippert af en toe
en eerdaags brandt het door

Hans Hagen

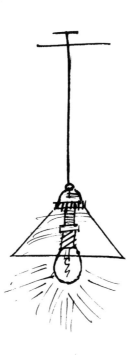

Mijn huiswerk

Mijn huiswerk
is net
een grote
zwarte berg.

Een berg
waar je wel
op kunt klimmen
maar niet
overheen kunt gaan.

Songul Dogan

Bij deze opdracht gaat het steeds om de vragen:
– Welke vergelijkingen zie je?
– Wat wordt met wat vergeleken?
– Kun je vertellen waarom de dichter deze zaken met elkaar vergelijkt?
– Vind je het mooie, originele vergelijkingen?
– Kun je ook uitleggen waarom?

Afsluiting

U sluit deze beide lessen over vergelijkingen productief af: de kinderen schrijven een kort gedicht waarin minstens één vergelijking verwerkt is. Om hen op weg te helpen herhaalt u het procédé uit de introductiefase (dat wil zeggen: u laat nog eens een kort gedicht uit een vergelijking ontstaan). Ook kunt u eventueel zelf een aantal beginzinnen geven:
– Ik ben als een ballon
– Een poesje, een zacht bolletje wol
– Een slakje in de tuin, een langzame trein
– Mijn opa is als een oude boom in de tuin
– Enzovoort.

Opmerking:
Natuurlijk is het voor de kinderen ook interessant in gedichtenbundels en/of bloemlezingen op zoek te gaan naar vergelijkingen.

Hoofdstuk 7 'Ga midden in de kamer zitten'

OVER DE COMPOSITIE VAN GEDICHTEN

Ga midden in je kamer zitten.
Doe je ogen dicht.

Zie met dichte ogen jezelf zitten
op de plattegrond van je kamer.

Zie met dichte ogen jezelf zitten
op de stadsplattegrond.

Zie met dichte ogen jezelf zitten
op de kaart van Nederland.

Zie met dichte ogen jezelf zitten
op de globe.

Bedenk waar, wanneer en waarom
je je ogen weer opent.

Jos van Hest

Oriëntatie

Een tekst behoort meer te zijn dan een losse verzameling zinnen, waar de lezer nauwelijks verband tussen kan ontdekken. Een schrijver moet zorgen voor een helder gestructureerde tekst. Deze eis geldt niet alleen voor zakelijke teksten, maar ook voor verhalen en gedichten. Een gedicht mag niet als een nachtkaars uitgaan. Zelfs bij gedichten die ogenschijnlijk berusten op allerlei associaties blijkt, bij nadere beschouwing, dat de dichter niet zo maar in het wilde weg heeft geassocieerd. Hij heeft ook gecomponeerd, structuur aangebracht.

Achtergrondinformatie

Bij het onderwijs in het lezen van zakelijke teksten leren we de kinderen dat deze teksten meestal uit drie delen bestaan: begin, middenstuk en slot. Met enige variaties treffen we deze driedeling ook aan bij verhalende teksten en gedichten. Het introducerende gedicht van Jos van Hest vertoont zo'n driedeling. Hij raadt de lezer aan in het midden van de kamer te gaan zitten en de ogen dicht te doen (het begin). Vervolgens moet de lezer zichzelf in vier situaties zien zitten (het middenstuk). Het slot bestaat uit de aansporing van de lezer na te denken over de vraag wanneer hij zijn ogen weer open doet. Dat wil zeggen: wanneer het moment voor hem is gekomen om de fantasiewereld weer te verlaten en terug te keren naar de realiteit: in het midden van je kamer.

Opvallend in de compositie van het gedicht is de herhaling van de zin: 'Zie met dichte ogen jezelf zitten'. Bij het schrijven van het gedicht heeft Van Hest waarschijnlijk gedacht aan het 'spelletje' dat veel kinderen spelen: straat – stad – provincie – land – Europa – wereld – heelal.

Net als bij een verhaal zijn de openingsregels van een gedicht uitermate belangrijk. Ze trekken de aandacht van de lezer en vaak ook geven ze het thema van het gedicht aan. Na deze openingszinnen werkt de dichter toe naar het einde van het gedicht, niet zelden een soort climax.

Dochter

Mijn tante leek haar eigen dochter.
Het kon nog lang. Als ze bij hitte
en wit licht
maar in de schaduw bleef.

Toen werd ze minder. Steeds moe.
Vaker een beetje slapend.
Slapend al een beetje dood.

Ze leek haar eigen dochter
toen ze stierf.
Maar dood was ze wel.

Gil vander Heyden

Ook in de gedichten die kinderen schrijven kunnen we het toewerken naar een verrassend slot opmerken. Bijvoorbeeld in het volgende gedicht van Mariska Bekker, uit de bundel *Het is feest in mijn pen*.

Feest in mijn pen

Er is feest in m'n pen en gezang.
Ze zingen dan:
'pennen krassen schrijven,
we willen hier blijven!'
Als ze dan zingen
komen letters uit mijn pen springen.
Er komen verhalen, gedichten, letters,
zinnen, woorden, spetters.
Alles op mijn blad papier,
allemensen, wat een zootje hier.

Met name in gedichten die we tot het genre 'light verse' rekenen, zien we dat de dichter naar een pointe (de clou) toewerkt, die aan het gedicht een bepaalde draai geeft.

De kangoeroe

De kangoeroe
is zijn schoenen moe

Hij doet voor 't slapen
zijn buidel toe.

Verliest een kangoeroe zijn kan:
o hoe vreselijk is dat dan!

Dan heet het dier voortaan 'goeroe'
dat is de domste naam na koe.

Walther Petri/Hans Dorrestijn

Ook van dit verschijnsel treffen we voorbeelden aan in gedichten van kinderen. Het volgende voorbeeld is weer ontleend aan de eerder genoemde *Doe Maar Dicht Maar*-bundel.

Mammie

De geur van bloemen.
Het gespetter van water.
Het gegil
alsof iemand vermoord wordt.
Het gezang
als in een opera.
Mijn moeder onder de douche.

Mieke Hink

Bij het lezen van een verhaal worden we geconfronteerd met onder andere personen, handelingen van deze personen, de ruimte (plaatsen) waar deze handelingen plaatsvinden en aanduidingen van de tijd die met het handelen verloopt. Veel van deze aspecten kunnen we ook in gedichten aantreffen, met name in verhalende gedichten. In het gedicht van Gil vander Heyden was bijvoorbeeld duidelijk sprake van een persoon (tante) die in de loop van de tijd (door Vander Heyden zeer geconcentreerd weergegeven) een veranderingsproces meemaakte.

In veel gedichten is een ik 'aan het woord'. We associëren deze ik haast automatisch met de dichter. Bij veel 'ik-gedichten' voor kinderen is dit echter niet het geval. Meestal is er sprake van een sterke identificatie met een kind, of jeugdige. De dichter kruipt als het ware in de huid van een jongere en bekijkt vanuit dit perspectief de wereld.

Ik wou

Hokus pokus
pilatus pas,
ik wou dat ik
de meester was...
dan gaf ik de meester
zó veel blaadjes strafwerk
dat z'n hele balpen leeg,
dattie blauwe vingers kreeg
en rode oogjes
van het huilen.

Theo Olthuis

Soms gaat de identificatie minder ver, dan gebruikt de dichter het voornaamwoord je.

Kijken 1

Je achterwerk in de spiegel
te dik? 't gaat
als je erop slaat
trilt het na
als een bakje
chocoladevla

Frank Eerhart

Soms geeft een dichter in de ik-vorm bepaalde ingrijpende jeugdherinneringen weer.

Inhalen

morgen haal ik hem in
morgen sterft hij voor de vierde keer
ben ik dan groter
word ik ouder
wordt mijn grote broer mijn kleine
– mijn ogen vind ik
in de spiegel
maar waar zijn de zijne

Hans Hagen

Net als in verhalen, ten slotte, kunnen in gedichten dialogen voorkomen. In een aantal gevallen bestaat een gedicht volledig uit dialogen.

's Morgens in de stal

'Hoe laat zou 't zijn?'
vroeg het zwijn.
''t Is haast tijd,'
sprak de geit.

'Al zo laat?'
kwam het paard.

''t Zal wel gaan,'
riep de haan.

'Mens-an-toe!'
deed de koe.

''t Is pas vier,'
zei de stier.

Jac. van Hattum

De didactiek

Om kinderen inzicht in diverse structuren van gedichten te leren ontwikkelen, is het van belang dat het poëzieonderwijs op de basisschool hen in de loop der jaren in aanraking brengt met gedichten waarin verschillende opbouwprincipes voorkomen. Hierdoor kunnen zij ontdekken dat er een aantal constanten is. Een goede begeleiding van de leerkracht is hierbij natuurlijk onmisbaar.

Dit betekent bijvoorbeeld dat een leerkracht regelmatig wijst op de manier waarop de dichter het gedicht heeft opgebouwd. Daarnaast wordt in het leerplan een aantal lessen opgenomen waarin aandacht voor de compositie van gedichten centraal staat.

Deze lessen kunnen gaan over het lezen van gedichten van professionele dichters. Daarnaast speelt in lessen waarin de kinderen zelf gedichten schrijven aandacht voor de vorm zeker ook een rol. Bij de evaluatie van de schrijfproducten (zie ook hoofdstuk 3) kan de leerkracht aandacht vragen voor de compositie; bijvoorbeeld door de kinderen te wijzen op door henzelf geschreven mooie openings- en slotzinnen. Ook kan hij samen met de leerlingen nagaan of kleine veranderingen in de opbouw van de gedichten niet tot betere gedichten leiden. Het is bijvoorbeeld bekend dat nogal wat kinderen problemen hebben met het schrijven van een goed slot van een gedicht.

In de lessuggesties die in de verschillende hoofdstukken van dit boek zijn opgenomen, wordt geregeld gewezen op aspecten van de compositie van gedichten. In de lessuggesties in dit hoofdstuk staan deze aspecten centraal.

De opbouw van een gedicht kan bepaald worden door de weergave van 'handelingen' in de tijd. In nogal wat gedichten voor kinderen gebruikt de dichter nauwkeurige tijdsaanduidingen. Het aspect 'tijdsaanduidingen' in gedichten staat centraal in de eerste lessuggestie die bestemd is voor kinderen uit groep 4. De lessuggestie voor groep 6 is te beschouwen als een vervolg op die voor groep 4. De kinderen lezen en interpreteren een tweetal gedichten waarin een ontwikkelingsproces wordt beschreven. In deze gedichten ontbreken de expliciete tijdsaanduidingen. Bovendien wordt in dit lesvoorbeeld aandacht gevraagd voor het gegeven dat dichters de opbouw van een gedicht nogal eens baseren op een tegenstelling.

Gedichten kunnen geschreven worden met de bedoeling een bepaalde boodschap, een moraal op de lezer over te dragen. Om ervoor te zorgen dat deze boodschap de lezer duidelijk wordt, zal een dichter voor een bepaalde opbouw van zijn gedichten kiezen.

Een speciale vorm van een gedicht met een moraal is de fabel. Het gaat dan om een kort verhaal dat gevolgd wordt door de weergave van de moraal, de wijze les die uit het verhaal volgt. (Deze moraal vormt het slot van het gedicht.)

Het kunnen begrijpen van een fabel vereist abstractievermogen: uit de concrete gebeurtenissen die in het verhaal worden weergegeven, moet de lezer een algemeen geldende les kunnen afleiden. Een les die voor een groot aantal situaties opgaat. Gezien de moeilijkheidsgraad van deze tekstsoort, is de weergegeven derde lessuggestie bestemd voor groep 8.

Uitgewerkte lesvoorbeelden

LESVOORBEELD 1

TITEL VAN DE LES:
WAAR BLIJFT DE TIJD?
Onderwerp: tijdsverloop in gedichten
Bestemd voor: groep 4
Aantal lessen: 1

Doelen/activiteiten

- De kinderen luisteren naar en lezen een gedicht waarin een tijdsverloop wordt aangegeven.
- Zij ervaren dat een dichter tijdsaanduidingen kan gebruiken om zijn gedicht te structureren.
- Zij schrijven zelf een kort gedicht.

WERKWIJZE

Introductie
U leest het gedicht van Hans Andreus 'Liedje van de luie week' voor. Wanneer u twee coupletten heeft gelezen, vraagt u de kinderen wat het eerste woord van het derde couplet zal zijn en hoeveel coupletten er nog minstens zullen volgen.

Liedje van de luie week

Maandag
is Kalmpjes-aan-dag.

Dinsdag
is Kom-ik-begin-'s-dag.

Woensdag
is Zou-ik-het-wel-doen-dag.

Donderdag
is Dit-is-een-bijzondere dag,

want Vrijdag
is Morgen-weer-vrij-dag

en Zaterdag
is 's-Avonds-wordt-het-later-dag
en Zondag
is Eet-je-buikje-rond-dag,

dus Maandag,
tja Maandag,
dat is weer Kalmpjes-aan-dag.

Waarschijnlijk zullen de meeste kinderen bij het voorspellen van het aantal coupletten niet hebben voorzien dat Andreus een extra couplet aan zijn gedicht heeft toegevoegd. Laat hen 'zien' dat door dat extra couplet het gedicht mooi 'rond' is: we zijn weer terug bij het begin.

Kern van de les
De kinderen lezen het volgende gedicht van Harriet Laurey eerst in stilte, daarna leest u het zelf voor.

De avond-gast

E lke avond, tegen negen,
G aat de bladerhoop bewegen,
E n twee oogjes, blinkend bruin,
L oeren door de zomertuin.

Er ritselt wat, er raadselt wat,
er snuift wat in het rond,
en dat gaat schuifelend op pad,
het neusje langs de grond.

E lke avond, klokke negen,
G aat het stille gras bewegen,
E n vier voetjes in dat gras
L open haastig naar 't terras.

Het bordje zoete melk staat klaar,
en likke-slikke-slop,
een likje hier, een likje daar,
het bordje melk is op!

E lke avond, over negen,
G aat de bladerhoop bewegen
E n in 't hartje van dat hol
L igt een warme prikkebol.

Daar ligt hij dan, en slaapt misschien,
onzichtbaar en tevreden.
Alleen zijn naam kun je nog zien:
van boven naar beneden!

U laat de kinderen de verschillen ontdekken tussen de twee soorten coupletten van dit gedicht. Vervolgens krijgen zij een blaadje waarop drie klokken zijn getekend.

De tijd is: De tijd is: De tijd is:

De egel: De egel: De egel:

De kinderen geven de tijd aan en schrijven op wat de egel doet.

Afsluiting
De kinderen schrijven zelf een tijdgedicht. U maakt hierbij gebruik van het volgende 'schema'.

Opstaan

Elke ochtend, tegen zeven
...

Elke ochtend, klokke zeven
...
Elke ochtend, over zeven
...

TITEL VAN DE LES:
VAN HET ÉÉN KOMT HET ANDER
Onderwerp: veranderingsprocessen in gedichten
Bestemd voor: groep 6
Aantal lessen: 1

Doelen/activiteiten
– De kinderen luisteren naar en lezen een gedicht dat een veranderingsproces weergeeft.
– Zij herkennen het weergegeven veranderingsproces.
– Zij ervaren dat bij een veranderingsproces sprake kan zijn van tegenstellingen.
– Zij schrijven zelf een gedicht over een verandering.

WERKWIJZE

Introductie
U begint deze les met het voorlezen van een lang (maar zeker niet moeilijk) gedicht van Hedwig Smits. Na de woorden: 'dan... na een poosje', laat u de kinderen eerst een mogelijk vervolg voorspellen. Nadat u het gedicht in zijn geheel hebt voorgelezen, laat u de kinderen aangeven waarom u juist bij 'dan... na een poosje' bent opgehouden. Zonder veel moeite zullen zij ontdekken dat er in het gedicht een duidelijke tegenstelling voorkomt. Voordat u het gedicht een tweede keer voorleest, noteert u op het bord:
1 Eerst is de ik boos.
2 Dan houdt de regen op en gaat de zon schijnen.
3 Hierdoor wordt de ik weer vrolijk.

De tekst van het gedicht is als volgt.

Ik ben kwaad

Ik ben kwaad
op alles
en iedereen...
Ik smijt met deuren
trap met een stoel
grauw en snauw
ik ben kwaad
op alles en iedereen
want niemand begrijpt me
geen mens...
dan trek ik mijn jas aan
ik loop naar buiten
in de stromende regen
de kraag van mijn jas omhoog
met driftige stappen
loop ik voort
zo maar ergens naar toe
want ik ben kwaad
op alles
en iedereen
niemand begrijpt me
dan... na een poosje
houdt de regen op
de zon komt door de wolken
heel aarzelend
ik sta stil
ook ik begin te aarzelen
zoals de zon
dan lach ik
zo maar opeens
de grijze wolken uit
ze drijven weg
en mijn boosheid
drijft mee
ver weg...

Hedwig Smits

Kern van de les

U noteert op het bord: lente zomer herfst

Hierna lezen de kinderen het volgende gedicht van Jules Deelder.

Gedicht voor land- en tuinbouw

Voor het eerst een merel
horen zingen.
Het eerste witte viooltje
gevonden.
De kastanjes in bloei.

Het eerste speenkruidbloempje
gezien.
De eerste zwaluw waargenomen.
Voor het eerst gegeten zonder
lamp.

Bloeiend klein hoefblad
gevonden.
Voor het eerst een koekoek
gehoord.
Het eerste gras gemaaid.

De kersenbomen bloeien.
De peren in bloei.
De appels in bloesemtooi.
De eerste aardbeien.
De aalbessen rijp.

De kersen rijp.
De haver op het veld rijp.
De eerste peren.
De laatste maaltijd zonder
lamp.

De eerste appels.
De eerste druiven.
Het laatste bad in de open
lucht.
Het vertrek van de zwaluwen.

Jules Deelder

U laat hen vervolgens aangeven wat de woorden die u op het bord hebt geschreven met de inhoud van het gedicht te maken hebben. Wijst u erop dat ook in dit gedicht sprake is van een ontwikkeling, laat hen daarvoor 'bewijzen' aan de tekst ontlenen.

Afsluiting

De ik in het gedicht van Hedwig Smits was eerst (heel) boos en werd daarna vrolijk. De kinderen schrijven een gedicht over een situatie waarin ze eerst opgewerkt en daarna kwaad werden. De beginzin van het gedicht luidt: Ik was vrolijk.

Het moet de kinderen goed duidelijk zijn dat er 'halverwege' het gedicht sprake moet zijn van een tegenstelling. Natuurlijk kunt u van hen niet eisen dat zij een gedicht schrijven met de omvang van dat van Hedwig Smits. Maar het gedicht mag ook weer niet al te kort worden.

Ik was vrolijk
Toen begon het te regenen
en werd ik boos

LESVOORBEELD 3

TITEL VAN DE LESSENSERIE: WIJZE LESSEN
Onderwerp: gedichten met een moraal
Bestemd voor: groep 7 en 8
Aantal lessen: 1

Doelen/activiteiten
– De kinderen luisteren naar een fabel.
– Zij ervaren dat een fabel bestaat uit een verhaal en een moraal.
– Zij leren dat de moraal op veel menselijke situaties betrekking kan hebben.
– Zij leren dat er ook in de moderne tijd nog (berijmde) fabels geschreven worden.

WERKWIJZE

Introductie
U vertelt de groep een bekende fabel, bijvoorbeeld die over de vos en de raaf.

een raaf stal op een dag een kaas van een vensterbank en ging ermee in een hoge boom zitten. De vos kreeg ook wel zin in die kaas en zei op vleiende toon: 'O, raaf, er is geen vogel die ook maar een beetje in jouw schaduw kan staan. Er is geen vogel die net zulke mooie veren heeft als jij. Als je een stem had die net zo mooi was, als je eruit ziet, was je de mooiste vogel op de hele wereld. Maar helaas, je hebt zo'n lelijke stem.'
De raaf was trots en hij wou bewijzen dat hij best een mooie stem had. Hij zette een hoge borst op en kraaide oorverdovend. Toen hij zijn snavel opensperde, viel de kaas eruit. De sluwe vos pakte deze snel en at hem op. De raaf was bedroefd: hij merkte dat de mooie woorden van de vos alleen maar bedoeld waren om de kaas te pakken te krijgen.

Pas daarom op voor mensen die je vleien.

U bouwt met de kinderen de volgende redenering op:

- De raaf is ijdel.
- Hij handelt daarom dom.
- Een ijdel mens handelt dom.
- De ijdele raaf doet zichzelf de das om.
- Een ijdel mens doet zichzelf de das om.
- Pas dus op dat je niet ijdel wordt, want dan kun je het slachtoffer worden van slimme mensen die je vleien.

U legt uit dat we de wijze boodschap van zo'n verhaaltje, een fabel, de moraal noemen.

Kern van de les
De kinderen lezen het volgende gedicht van Mensje van Keulen

Francina Fazant

De freule Francina Fazant,
die vond zichzelf zo prachtig,
zo fleurig, zo fantastisch,
zo fier, zo fabelachtig.
Ze zei: 'Mijn veren zijn fluweel.
Ik ben een allerfijnste vrouw.
In ben een fonkelende fee.
Ik ben veel fraaier dan een pauw.
Kijk eens naar mijn flatteus figuur,
mijn formidabele frontje.'
'Fout,' flapte een familielid,
'jij hebt een kippekontje!'
Nu durfden ook de anderen:
'Je bluft, je snoeft, nuffige krent.
Jij fletse flodder, fratsmadam,
foeilelijk, dát is wat je bent!'
En Flip Flamingo schoot een foto
en zei: 'Hij lijkt perfect, juffrouw.'

Francina keek, Francina fronste...
Het is een feit: toen viel ze flauw.
Met fantasie kun je wel liegen,
maar een portret kan niet bedriegen.

Dit gedicht vraagt erom voorgelezen te worden. U kunt hierbij rollen verdelen: Francina, een familielid, de anderen, Flip Flamingo en een verteller die de conclusie voorleest.

U voert een gesprek met de kinderen naar aanleiding van dit gedicht.
- Waarom zou je dit gedicht ook een soort fabel kunnen noemen?
- Welke slechte eigenschap wordt in dit gedicht aan de kaak gesteld?
- Ken je mensen die zich net zo gedragen als Francina Fazant?

Natuurlijk schenkt u ook aandacht aan het veelvuldig gebruik van woorden die met een f beginnen.
U kunt de kinderen vertellen dat dit gedicht is ontleend aan een bundel die *Van Aap tot Zet* heet.
Mensje van Keulen 'behandelt' hierin dieren als: Alfons Aap, Pollie Paard, Quirijn Quasi en Zizi Zevenslaper.

Afsluiting

De kinderen lezen het volgende gedicht van Hans Andreus.

't Hebbeding

Twee apen op een wandeling,
die zagen eens een hebbeding.

't Lag zo te glanzen in de zon
dat je 'r haast niet naar kijken kon.

Maar allebei riepen ze: 't Is van mij!
Ik zag 't 't eerst, niet jij!

Ze gingen aan 't schelden, sloegen aan 't slaan
en strompelend zijn ze naar huis gegaan.

En dat hebbeding waarom het begon,
dat lag te glanzen in de zon.

(En nu moest hier een wijze les staan te lezen,
maar 'k zal wel wijzer wezen.)

In groepjes van vier bespreken de kinderen de vragen:
– Welke wijze les zouden jullie onder dit gedicht kunnen schrijven? (Het zou mooi zijn als je er een rijmpje van kunt maken, maar dat hoeft niet.)
– Kunnen jullie situaties verzinnen waarop jullie wijze les betrekking heeft?

Hoofdstuk 8 'Zet het blauw'

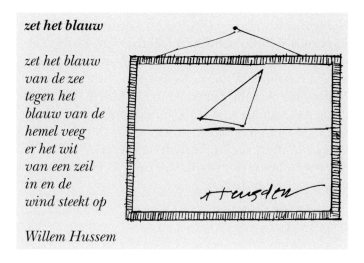

zet het blauw

zet het blauw
van de zee
tegen het
blauw van de
hemel veeg
er het wit
van een zeil
in en de
wind steekt op

Willem Hussem

Oriëntatie

Willem Hussem was schilder en dichter. In het hier weergegeven gedicht zijn de schilder en de dichter samen aan het woord. Deze combinatie komt vaker voor. Bijvoorbeeld bij Lucebert, J.C. van Schagen en Hugo Claus. Het betreft hier dichters van poëzie voor volwassenen (wat niet inhoudt dat geen van hun gedichten door kinderen gelezen en geapprecieerd zou kunnen worden). Een dichter-schilder (of schilder-dichter) van poëzie voor jongeren is Ted van Lieshout, beelden en gedichten vormen in zijn werk een hechte eenheid. Dat betekent dat aandacht voor de gedichten van Van Lieshout in het onderwijs automatisch aandacht voor zijn 'beelden' inhoudt. Zo geeft hij in zijn bundel *Een lichtblauw kleurpotlood en een hollend huis* achterin een beschrijving van de technieken die hij gebruikte voor de illustraties c.q. kunstwerken in dit boek. Het gaat in dit hoofdstuk overigens niet uitsluitend over dichter-schilders. Veel dichters hebben zich door 'beel-den' laten inspireren en veel beeldende kunstenaars hebben omgekeerd inspiratie geput uit een gedicht. Kennelijk trekken dichters en beeldende kunstenaars elkaar aan. Anders gezegd: beelden en gedichten werken wederzijds inspirerend. Voor het poëzieonderwijs is het ook van belang dat gedichtenbundels voor kinderen geïllustreerd zijn.

Achtergrondinformatie

In 1988 verscheen de prachtige bloemlezing *Ik heb het Rood van 't Joodse Bruidje lief*, samengesteld door Ton van Deel. De titel van dit boek is ontleend aan een gedicht van Pierre Kemp. Deze dichter was zo verrukt van het schilderij van Rembrandt 'Het Joodse Bruidje' dat hij telkens terugging naar het Rijksmuseum om van het schilderij te genieten. Jaren later maakt hij het gedicht 'Het Rood van het Joodse Bruidje', waarvan het begin luidt:

Ik heb het Rood van 't Joodse Bruidje lief,
van toen ik het zag voor het eerst
en ik nog niet begreep,
welk een verkering ik die dag begon.

In zijn bloemlezing geeft Van Deel nog meer voorbeelden van gedichten die geïnspireerd zijn door de producten van beeldend kunstenaars. Gedichten die betrekking hebben op schilderijen, tekeningen, etsen, beeldhouwwerken en dergelijke noemt hij beeldgedichten. Zo'n gedicht kan geïnspireerd zijn op het totale 'beeld', maar ook op een sprekend detail. Dit is bij Pierre Kemp het geval, zijn verkering heeft meer met het Rood, dan met het bruidje te maken.

Gedichten kunnen beeldende kunst op drie manieren 'verhelderen'. Een schrijver van een literaire tekst heeft meer èn minder mogelijkheden dan een beeldend kunstenaar. De directe werking van lijnen, kleuren en compositie van het beeldend kunstwerk gaat in een tekst verloren. Daar staat echter tegenover dat de dichter weer het een en ander kan toevoegen. Hij kan bijvoorbeeld personen van een schilderij sprekend opvoeren. Een beeldend kunstwerk is statisch. Een dichter kan in het gedicht dat hij naar aanleiding van een schilderij of beeldhouwwerk maakt ook aangeven hoe het kunstwerk mogelijk ontstaan is. Het is dan natuurlijk wel de interpretatie van de dichter!

Om een beeldend kunstwerk te begrijpen, is vaak achtergrondkennis nodig. Dit is bijvoorbeeld het geval wanneer een dichter een mythe uitbeeldt. Het verhaal over de val van Icarus heeft nogal wat schilders en daarmee ook dichters geïnspireerd. Soms geeft een gedicht als het ware een soort toelichting bij het kunstwerk. Door het gedicht te lezen en het te vergelijken met het kunstwerk komen we mogelijk tot een andere, misschien wel betere interpretatie van het kunstwerk. Natuurlijk werkt het ook andersom. Wanneer een dichter naar aanleiding van een schilderij een gedicht maakt, is het vaak wel handig een reproductie van het schilderij bij de hand te hebben.

In de poëzie voor volwassenen treffen we dus veelvuldig gedichten aan die op de een of andere manier verwijzen naar een beeldend kunstwerk. In poëziebundels voor kinderen komen we dit soort gedichten veel minder tegen. Waarschijnlijk speelt hierbij een rol dat dichters die in de eerste plaats voor kinderen schrijven, vermijden hun lezers voor bijna onoverkomelijke problemen te stellen. Dat betekent echter niet dat in deze bundels het beeld geen enkele rol zou spelen. Een verzameling kindergedichten zonder illustraties is welhaast onmogelijk. Het zijn niet de minste illustratoren die hun medewerking verlenen aan het verbeelden van gedichten in bundels. In de boeken van Nannie Kuiper bijvoorbeeld, komen we onder meer tekeningen tegen van The Tjong King, Ivo de Weerd, Marit Törnquist, Harrie Geelen en Dagmar Stam. Het boek *Van Aap tot Zet* van Mensje van Keulen met zesentwintig verhalende gedichten over figuren als Bertus Bok, Nina Neushoorn of Victor Vleermuis, is geïllustreerd door Jan Jutte. De speelse aanpak van Mensje van Keulen vinden we terug in die van de tekenaar. Leendert Witvliet maakte destijds (1980) veel indruk met zijn bundel *Vogeltjes op je hoofd*. Hiervoor maakte Annemie Heymans mooie pentekeningen.

Aap

In de Hortus zat in een kooi
achter gaas een aapje
terug van rampzalige mensen
die zo aardig voor hem waren
maar ze waren geen apen.

In een kooi met gaas
en een bordje: voor altijd krankzinnig

Dit schrijnende gedicht gaat vergezeld van een even schrijnende afbeelding van dit aapje.

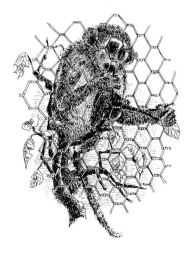

In dit en vorige hoofdstukken is al een paar keer de naam van Ted van Lieshout genoemd. In de prachtige bundel *Multiple Noise* gaat hij op een bijzondere manier te werk. De gedichten hierin kennen als centrale thema's het zoeken, de verandering en de ontwikkeling. Van Lieshout was van mening dat in de bundel tekeningen moesten komen die ook uitdrukking gaven aan dit zoeken. Maar... 'een gedicht dat nog niet klaar is, is geen gedicht, maar een schets, studie of krabbel of kladje is al wel een tekening.' Het zoeken naar de juiste vorm van een tekening kon volgens Van Lieshout het beste getoond worden door geen kant en klare tekeningen op te nemen. Gedichten en tekeningen hebben in dit boek niet direct inhoudelijk met elkaar te maken, maar de artistieke eenheid is er niet minder om. Een voorbeeld:

Tekening

Misschien niet het mooiste,
maar wel het liefste huis
is het huis waarin ik woon.
Dit is een geheime tekening
van ons huis en waar het staat.

Anders kan er iemand komen
die het steelt. Of ik verlies
het, zulke dingen gebeuren.
En waar moet ik dan naar toe?

O ja, en dan nog dit: teken
nóóit je eigen huis met potlood,
want overal lopen gummen los.

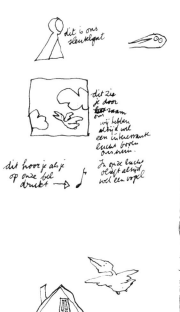

Ook de Amerikaan Shel Silverstein is dichter en tekenaar. Bij kolderieke gedichten maakt hij even kolderieke tekeningen, bijvoorbeeld:

Baby-zitten

De nieuwe babysit is gek
ze heet Josephina van Twitten
ze denkt dat je, als babysit
écht op de baby moet zitten.

De didactiek

Ook in het poëzieonderwijs op de basisschool kunnen we aandacht schenken aan de relatie tussen beeld en gedicht of gedicht en beeld.

Een belangrijke doelstelling hierbij is kinderen te laten ervaren dat een beeld een interpretatie van een gedicht kan geven. Dat betekent dat we net als bij een aantal andere onderdelen van het poëzieonderwijs vooral gebruik maken van opdrachten die kinderen stimuleren tot het maken van vergelijkingen. Hierdoor worden zij zich bewust van de verschillen en overeenkomsten tussen het communiceren met taal en het communiceren met beelden. Aandacht vragen voor het beeld bij een gedicht sluit ook aan bij een belangrijk uitgangspunt van het poëzieonderwijs, namelijk dat dit onderwijs deel uitmaakt van de kunstzinnige vorming.

Het derde lesvoorbeeld (bestemd voor groep 8) heeft betrekking op het gegeven dat een beeldend kunstenaar met behulp van een beeld of beelden zijn verklaring van een gedicht kan geven. In die lessuggestie laten wij de kinderen in groepjes een 'tekening' bij een gedicht maken. Een leerkracht beschikt over meer kennis van zaken en lees- en levenservaring dan de leerlingen. Hij zal een gedicht daardoor anders lezen dan zijn leerlingen. Om te voorkomen dat de leerkracht zijn uitleg als het ware opdringt aan zijn groep, kan hij kiezen voor de aanpak die in de lessuggestie wordt weergegeven. De leerlingen geven hun verklaring weer zonder de directe tussenkomst van de leerkracht. Om tot een groepstekening te komen, moeten de kinderen met elkaar over de interpretatie van het gedicht van gedachten wisselen. Dat is bovendien weer eens wat anders dan een 'tekst met vragen'.

Om al te grote vrijblijvendheid te voorkomen, kan de leerkracht bij de bespreking van de tekeningen, die naar aanleiding van het gedicht zijn gemaakt, vragen of de kinderen van zijn groep willen aangeven waarom en hoe zij tot deze tekening zijn gekomen. Natuurlijk is het vervolgens niet verboden dat de leerkracht het gedicht nog eens klassikaal doorneemt. Dit overigens niet om alsnog de 'enig juiste interpretatie' te geven!

Dichters kunnen door een bijzonder woordgebruik in een gedicht een bepaalde sfeer, stemming tot uitdrukking brengen. Omdat het voor de lezer, zeker voor de jonge lezer, niet altijd meevalt deze sfeer 'met eigen woorden' weer te geven (het is ook eigenlijk onmogelijk) kan het verbeelden van het gedicht hierbij een goed hulpmiddel zijn.

Ook voor de groepen 3, 4, 5 en 6 zijn lessuggesties opgenomen. Deze zijn natuurlijk aangepast aan het lees- en belevingsniveau van de kinderen uit deze groepen. Het ligt niet zo voor de hand deze kinderen met behulp van een 'beeldend product' hun uitleg van een moeilijk gedicht te laten geven. Het is bekend dat nogal wat moderne dichters van kinderpoëzie vreemde, rare wezens in hun gedichten opnemen (denk aan Annie M.G. Schmidt en Diet Huber). In de weergegeven lessuggestie voor groep 6 wordt aan deze merkwaardige wezens aandacht geschonken.

Ook in de lessuggestie voor groep 4 vragen wij aandacht voor de relatie tussen een gedicht en de bijbehorende illustraties.

In de lessuggesties is niet alleen sprake van een aanpak die gekenschetst kan worden als: 'van tekst naar beeld'. Er is ook aandacht voor de omgekeerde relatie van beeld naar tekst. Beelden behoeven niet alleen professionele dichters tot het schrijven van een gedicht te inspireren.

Wij gebruiken 'tekening' als zogeheten container-begrip. Het gaat zeker niet uitsluitend om potloodtekeningen. Allerlei technieken die een leerkracht in de lessen beeldende vorming aan de orde stelt, kan hij de kinderen in de poëzielessen laten gebruiken. Dit betekent in de praktijk dat de grenzen tussen lessen beeldende vorming en poëzielessen door deze aanpak vervagen of geheel verdwijnen.

In dit hoofdstuk ten slotte hebben wij ons beperkt tot de relatie tussen poëzie en de beeldende expressie. Het zal duidelijk zijn dat kunstzinnige vorming zich hiertoe niet kan beperken. Suggesties voor andere relaties worden in hoofdstuk 11 gegeven.

LESVOORBEELD 1

TITEL VAN DE LESSENSERIE:
PLAATJES ZOEKEN
Onderwerp: het relateren van 'plaatjes' aan de inhoud van gedichten
Bestemd voor: groep 4
Aantal lessen: 2

Doelen/activiteiten
– De leerlingen lezen een aantal korte gedichtjes.
– Zij zoeken uit welk plaatje bij welk gedichtje hoort.
– Zij lezen een langer gedicht waarin sprake is van een ontwikkeling in de tijd.
– Zij leggen naar aanleiding van dit gedicht stripplaatjes in de juiste volgorde.
– Zij schrijven zelf een kort 'ik-gedicht'.

WERKWIJZE

Les 1

Introductie
De kinderen krijgen een kopie van een illustratie uit een bloemlezing of poëziebundel. Nadat zij deze afbeelding goed hebben bestudeerd, leest u het gedicht voor naar aanleiding waarvan de tekening is gemaakt. In het volgend gesprek laat u de kinderen vertellen waarom dit plaatje 'mooi' bij het gedicht past.

Kern van de les
De kinderen lezen de volgende drie gedichtjes.

Lui

Ik ben lekker lui vandaag
Ik heb een slome bui vandaag
Denk maar niet dat ik iets doe.
Ik ben liever lui dan moe

Lekker liggen op mijn bed
met geen mens die op mij let
Alles wat ik anders moet,
gaat vandaag niet door – net goed

Nannie Kuiper

Ik ben een dier
bedrukt met strepen.
Liggen die strepen
op straat
dan moet je daar
oversteken.

Riet Wille

Iets stapelgeks

Maak een maffe tekening
schrijf een gek gedicht
zing een lied van mambel-bam
fluit een liedje op je kam
dans de hoepie-poepie
dwars door de klas
zorg eens voor iets stapelgeks
dat er nog niet was.

Shel Silverstein/Thera Coppens

Nadat u deze gedichten hebt voorgelezen (of hebt laten voorlezen), krijgen de kinderen de drie illustraties die bij de gedichten staan.

U laat hen bepalen welke illustratie bij welk gedicht hoort. U werkt tijdens het gesprek met de procedure: Plaatje 1 hoort bij het gedicht... omdat...

Afsluiting

Aan het slot van deze les laat u een aantal bloemlezingen en bundels zien. Het gaat dan met name om de illustraties.

Les 2

Introductie

U laat de kinderen vertellen over vroeger, bijvoorbeeld:

1   Weet je nog dat je drie jaar was?
2   Wat deed je toen zoal?
3   Hoe zag je er als baby uit?

Kern van de les

De kinderen lezen in stilte het volgende gedicht van Willem Wilmink.

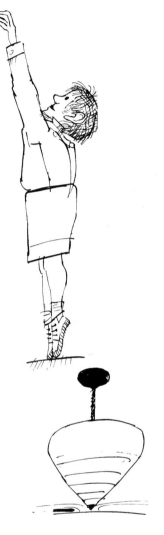

Foto's kijken
Hier was ik vijf:
kon ik net bij de bel.
'Wilt u voor me bellen?'
Dat wilden ze wel.

Hier was ik vier
en in bed was ik bang
voor gekke figuren
op het behang.

Hier was ik drie.
Nee ik was nog maar twee.
Mijn bromtol kon zzoemen,
daar zzoemde ik mee.

Hier was ik één,
pappie leek op een reus.
Toen vroegen mijn tantes:
'waar zit je neus?'

Hier was ik nul
en ik voelde me puik,
want ik had een kamer
in mammie haar buik.

Hier is het uit,
is het uit met mijn lied:
op die witte bladzij
bestond ik nog niet.

In het gesprek naar aanleiding van dit gedicht gaat het om twee belangrijke zaken: de kinderen ontdekken dat de bouw van het gedicht gebaseerd is op het teruggaan in de tijd en zij geven aan of zij iets herkennen van wat de ik in het gedicht zich herinnert. (Zie ook hoofdstuk 7 over de compositie van gedichten). Het is voor de kinderen interessant als u het gedicht vanaf het voorlaatste couplet in de 'verkeerde' volgorde voorleest. Zij zullen er-varen dat je het gedicht ook op deze manier kunt lezen.

Afsluiting

De kinderen schrijven een 'ik-gedicht'. Naast een foto of een tekening schrijven ze een kort gedicht. U kunt deze opdracht al of niet voorstructureren. Een structuur voor de tekst zou kunnen zijn:

Ik

Dit ben ik
Ik kan ...
Ik weet ...
Ik ben ...
Ik droom van ...
Ik lach om ...
Ik ben bang voor ...

LESVOORBEELD 2

TITEL VAN DE LESSENSERIE: ORREKIEDORREN
Onderwerp: de inhoud van een gedicht verbeelden
Bestemd voor: groep 5
Aantal lessen: 2

Doelen/activiteiten
– De leerlingen lezen (en luisteren naar) een aan-tal nonsens-gedichten.
– Zij verbeelden de inhoud van één van deze ge-dichten.
– Zij schrijven een kort gedicht bij een illustratie.

WERKWIJZE

Les 1

Introductie
U begint deze les met het voorlezen van het vol-gende gedicht van Diet Huber.

De vier koningen

De koning van Ba-bóng
die heeft een lange tong,
die rolt hij 's avonds op een spoel
en legt hem naast zich op een stoel
De koning van Ba-bánd
die heeft een grote hand,
hij heeft een handschoen laten maken
nog groter dan een tafellaken.

De koning van Ba-boet
die heeft een dikke voet,
dat geeft de koning veel gezeur,
zijn voet kan soms niet door een deur.

Maar
de koning van Ba-bóón
die is nogal gewoon.
Hij heeft een tong, een hand, een teen
precies als iedereen.
Wat jammer. Want een aardig lied
dat maak je van zo'n koning niet.

U laat de kinderen eerst spontaan reageren. Daar-na gaat u dieper in op het gedicht:
1 Vinden jullie dit een leuk gedicht?
2 Kun je ook uitleggen waarom het wel of niet leuk is?
3 Over wie vertelt het gedicht het een en ander?
4 Kun je deze koningen in het echt tegenkomen?

Vervolgens schrijft u de namen van de vier koningen op het bord. u leest het gedicht nog een keer voor. De kinderen proberen te onthouden (of schrijven het op) wat er over de vier koningen wordt verteld. U noteert de eigenschappen achter hun naam op het bord. (Met het oog op één van de doelstellingen van deze les, zou u van de drie vreemde koningen een karikatuur kunnen tekenen.)

Kern van de les

U noteert op het bord: 'Een Orrekiedor'. U laat de kinderen vertellen hoe een Orrekiedor er volgens hen uitziet. U schrijft de kenmerken op het bord. Hierna lezen de kinderen in stilte het volgende gedicht van Annie M.G. Schmidt.

De Orrekiedor

In het land van de Orrekiedorren,
daar zijn ze allemaal gek.
Daar hebben ze groene snorren
en vlaggetjes in hun nek.
Daar hebben ze koperen tenen
en veren op hun hoofd.
Ze eten er kiezelstenen,
met boter en suiker gestoofd.

Als je iemand ziet flaneren
met een grote groene snor,
en een hoofd vol wuivende veren,
dan is het een Orrekiedor.

Nadat u het gedicht nog eens hebt voorgelezen (of het door een kind van de groep hebt laten voorlezen), bespreekt u met de kinderen de vragen:
Hoe zou je een Orrekiedor tekenen?
Welke kleuren zou je gebruiken?
Hierna tekenen zij individueel hun Orrekiedor.

Afsluiting
De kinderen presenteren in kleine groepjes aan elkaar hun Orrekiedor. U kunt hen eventueel ook laten zien hoe de vaste illustratrice van Annie M.G. Schmidt, Fiep Westendorp een Orrekiedor heeft getekend.

Les 2

Introductie
De kinderen bekijken de afbeelding van de vreemde figuur hierboven.

In een groepsgesprek bespreekt u onder meer de volgende vragen:

1 Welke naam zouden we deze rare snuiter kunnen geven?
2 Waar zal hij wonen?
3 Wat eet hij zoal?
4 Hoe zal hij lopen? (Kun je dat voordoen?)
5 Waarmee zal hij zijn neus snuiten?

Laat de kinderen zo veel mogelijk over het figuurtje vertellen en noteert u weer zo veel mogelijk gegevens op het bord.

Kern van de les

De kinderen schrijven individueel een kort gedicht bij het plaatje van de vreemde figuur. Ze kunnen hierbij gebruik maken van de gegevens uit het introducerende klassengesprek. U kunt hen in deze fase van de les het beste nog op een apart blaadje laten werken (zie ook de afsluiting).

Afsluiting

De kinderen lezen hun schrijfproducten voor in een klein groepje. Wanneer u voor de afsluiting meer tijd wilt uittrekken, kunt u de gedichtjes ook in de kring laten voorlezen (en mogelijk van commentaar laten voorzien).
Aan het einde van deze les verzamelt u de gedichten. 'Stilzwijgend' (zie ook hoofdstuk 4) verbetert u duidelijke spelfouten. In een volgende les schrijven de kinderen hun gedicht netjes op het blaadje met de tekening.

LESVOORBEELD 3

TITEL VAN DE LESSENSERIE: EEN GEDICHT TEKENEN
Onderwerp: verkenning van de relatie tussen tekst en beeld
Bestemd voor: groep 8
Aantal lessen: 2

Doelen/activiteiten

- De leerlingen worden geconfronteerd met het begrip 'sfeer in gedichten'.
- Zij ervaren dat we de sfeer in gedichten ook beeldend kunnen weergeven.
- Zij geven door het maken van een tekening een mogelijke interpretatie van een gedicht.

WERKWIJZE

Les 1

Introductie

In de eerste fase van deze les krijgen de kinderen twee 'sfeervolle plaatjes' te zien. Zij krijgen een aantal minuten de tijd om na te denken over de volgende aandachtspunten.

Bekijk de plaatjes heel goed:
1 Wat zie je?
2 Wat stelt het volgens jou voor?
3 Heeft het plaatje voor jou een bepaalde sfeer?
4 Waar let je dan op?
5 Als je een dichter was, zou je bij de plaatjes een gedicht kunnen maken. Waarover zou jouw gedicht dan gaan? Schrijf dat kort op.

U laat de kinderen rapporteren. Hierbij zal blijken dat ze het redelijk met elkaar eens zijn over wat er op de plaatjes te zien valt, maar dat dit veel moeilijker is bij de beschrijving van de sfeer. U zou van een aantal kinderen de antwoorden op de vragen 3 en 4 op het bord kunnen noteren:
De sfeer van plaatje 1 is ... omdat ...
De sfeer van plaatje 2 is ... omdat ...
Natuurlijk laat u ook een aantal kinderen vertellen welke gedichten ze zouden kunnen maken. Laat u hen wel aangeven waarom ze tot een bepaalde keuze zijn gekomen.

Kern van de les

In dit deel van de les biedt u de kinderen een kort gedicht met een bijbehorende afbeelding. Bijvoorbeeld:

een mist kwam uit zee
had iets met een paar duinen
en ging weer terug

J.C. van Schagen

De kinderen bespreken in tweetallen tekst en beeld aan de hand van de volgende constructie.
1 Bij dit gedicht moet ik denken aan... omdat...
2 De tekening past mooi bij het gedicht omdat ...

Bij de bespreking van de antwoorden kunt u dezelfde aanpak gebruiken als die hierboven is weergegeven. Natuurlijk moet deze bespreking meer worden dan het laten oplezen van de antwoorden. Stimuleert u de kinderen met elkaar van gedachten te wisselen. Het is mogelijk dat de kinderen de illustratie in het geheel niet bij het gedicht vinden passen. Dat recht hebben ze, maar laat u hen dan wel aangeven welke tekening zij zelf gemaakt zouden hebben.

Afsluiting
Aan het einde van deze les leest u een aantal sfeervolle gedichten voor.

Les 2

Introductie
Aan het begin van deze tweede les uit de serie herhaalt u kort de inhoud van les 1. U laat de kinderen (of een aantal) de volgende zin afmaken.

In de vorige les heb ik geleerd dat ...

Kern van de les
De kinderen krijgen de tekst van het gedicht *Meeuwen* van Johanna Kruit.

Meeuwen

Een schip vaart voorbij
Je denkt aan vrijheid en verte
maar alles gaat ten koste van.

De meeuw op het strand
kan niet meer bewegen.
Stookolie plakt aan zijn veren.

Wat moet je doen?
Kun je van meeuwen iets leren?

U laat de kinderen hun eerste reactie op het gelezen en beluisterde gedicht geven. Het is nog niet de bedoeling dat de kinderen een interpretatie geven, maar dat ze vertellen waarover het gedicht eigenlijk gaat. U kunt een aantal kinderen vragen hun reactie kort toe te lichten.

Hierna gaan de kinderen in groepjes aan het werk. Ze maken bij of naar aanleiding van het gedicht een illustratie. Zij zullen daarbij zeker gebruik willen maken van kleuren. Omdat het om een niet al te gemakkelijke opdracht gaat, geeft u een aantal duidelijke aanwijzingen. Bijvoorbeeld:

1 Lees het gedicht nog minstens één keer goed door.
2 Begin niet meteen met het maken van een tekening. Schrijf eerst alles op wat je te binnen schiet: Waar denk je aan? Wat stel je je voor? Aan welke kleuren denk je?
3 Maak dan een schetsje: hoe zou je tekening eruit kunnen zien?
4 Vergelijk in de groep de schetsjes die je hebt gemaakt. Zie je veel verschillen? Is er ook veel hetzelfde? Praat daarover met elkaar.

Tip 1: De map *Kijk een gedicht!* (Ploegsma, 1998) van Theo Olthuis bevat acht poëzieposters in kleur door vier illustratoren, gemaakt bij hun lievelingsgedicht van Theo Olthuis.

Tip 2: In het boek *Hoeveel weegt blauw* (Bakermat, 1996) staan bij acht kunstwerken telkens vier gedichten van verschillende auteurs.

Tip 3: Indien u met de klas musea bezoekt, kunt u de kinderen een kunstwerk uit laten zoeken dat ze heel mooi vinden (of juist heel lelijk). Laat ze het kunstwerk beschrijven, en er een verhaal omheen vertellen. Hieruit kan later in de las inspiratie worden gehaald voor het schrijven van een gedicht. Zo staan er in de bundel *Door een gekleurde bril* (The House of Books, 2001) een aantal voorbeelden van kinderen die een gedicht schreven naar aanleiding van een schilderij. Zoals het volgende gedicht:

5   Maak dan afspraken voor de groepstekening:
Hoe zal die er ongeveer gaan uitzien? Wie wordt de tekenaar van de groep?

Vervolgens presenteren de groepen hun tekening in de kring. Elke groep geeft aan waarom zij juist deze tekening hebben gemaakt. Ga met name in op duidelijke verschillen in de aanpak en uitwerking.

Fluitspeler en watermeloen-eter
(Pablo Picasso)

Het kleine meisje
eet meloen
met onfatsoen

De grote jongen
speelt op een fluit
van fluitenkruid

Afsluiting
De kinderen zullen het interessant vinden te zien welke illustratie Wim Hofman bij dit gedicht heeft gemaakt. U kunt de tekeningen ook laten verwerken tot een klein soort 'plintposter' in de vorm van een (niet al te kleine!) ansichtkaart of van een 'echte' poster op bijvoorbeeld A3-formaat. U kunt natuurlijk ook altijd een poster van stichting Plint als voorbeeld en inspiratiebron gebruiken.

Het meisje geniet
van het geluid
van de fluit
en van de meloen

Ilona Liewes

Hoofdstuk 9 'Want er zijn dingen die kun je niet zeggen'

> *ik kruip wel eens weg*
> *achter muren en heggen*
> *want er zijn dingen*
> *die kun je niet zeggen*
>
> *Els Pelgrom*

Oriëntatie

Het poëzieonderwijs brengt kinderen in aanraking met gedichten met een belangwekkende vorm èn een belangwekkende inhoud. De voorafgaande hoofdstukken gingen vooral over vormaspecten van gedichten. Dit hoofdstuk gaat nader in op de inhoud ('gedichten gaan ergens over') en over de manieren waarop literatuurlessen ontworpen kunnen worden die in de eerste plaats op de inhoud van gedichten gericht zijn. Natuurlijk blijft bij deze lessen ook de vorm waarvoor een dichter heeft gekozen van belang.

Achtergrondinformatie

Wanneer iemand een verhaal heeft gelezen, kan hij meestal zonder veel moeite de vraag: Waar gaat het over? beantwoorden. Daarbij kan hij volstaan met bijvoorbeeld de volgende antwoorden: Over een eenzame jongen die van huis wegloopt of over een meisje dat in Amsterdam haar verdwenen vriendin gaat zoeken. Veel gedichten gaan óók ergens over, al kost het vaak wat meer moeite precies het onderwerp of het belangrijkste thema te noemen. De minste moeite kost dit nog bij verhalende gedichten. Moeilijker wordt het bij lyrische gedichten, vooral als deze een stemming, een sfeer onder woorden brengen. (Probeer maar eens een sfeer te verwoorden; daarmee heeft de dichter immers ook geworsteld!) Sommige gedichten kunnen we 'inhoudsloos' noemen, die berusten op een (vaak subtiel) spel van klank en ritme. Denk aan aftelversjes en bakerrijmpjes, maar bijvoorbeeld ook aan de gedichten voor volwassenen die een dichter als Paul van Ostayen heeft geschreven. Vrijwel iedereen zal zijn gedicht 'Marc groet 's morgens de dingen' kennen met de bijna klassieke beginzin: Dag ventje met de fiets op de vaas met de bloem ploem ploem. Ook moeilijk na te vertellen zijn gedichten die vooral gebaseerd zijn op een woordenspel.

In dit gedicht
is geen woord
te veel

Neem je er iets af
dan is het
niet meer heel

K. Schippers

Remco Ekkers, zelf dichter van jeugdpoëzie, heeft in een beschouwing over kinder- en jeugdpoëzie aangegeven aan welke kwaliteitseisen deze poëzie moet voldoen. Daarbij is hij ook dieper ingegaan op de vraag of in gedichten voor kinderen en jongeren andere onderwerpen aan de orde zouden moeten komen dan in gedichten voor volwassenen. Hij beantwoordt deze vraag ontkennend. Volgens hem kunnen we in kinder- en jeugdpoëzie dezelfde onderwerpen aantreffen als in de poëzie voor volwassenen. Het gaat hierbij om onderwerpen als: eenzaamheid, angst, schuld, hoop en liefde. Wanner we de moderne kinder- en jeugdpoëzie doornemen, kunnen we constateren dat deze onderwerpen inderdaad voorkomen. Natuurlijk houdt een dichter wel rekening met de leeftijd (houdt een bepaald ontwikkelingsniveau in) van de kinderen. Een kind van zes, zeven jaar is aan veel van de genoemde onderwerpen nog niet toe. Kinderen hebben minder levenservaring en kennis dan volwassenen. Een dichter van kinder- en/of jeugdpoëzie zal niet alleen rekening houden met zijn publiek wat betreft het gebruik van woorden, de zinsbouw en beeldspraak (vormaspecten), maar hij zal ook aansluiten bij de jeugdige levenservaring. In kinder- en jeugdpoëzie kan best over moeilijke onderwerpen geschreven worden, maar het perspectief moet wel bij het kind of de jongere liggen. Joke Linders, een recensente van kinder- en jeugdliteratuur, stelt dat de dichter een zekere vorm van solidariteit met kinderen moet hebben. Een voorbeeld van het kinderlijk perspectief treffen we aan in het volgende gedicht.

Volwassenen

Volwassen mensen kunnen praten
eindeloos. Waar hebben ze het toch over?
Het bezoek is nog niet binnen
of ze beginnen, voor de jassen uit zijn.

Ik zit te lezen, maar ze vragen
wat ik lees en hebben een mening.
Ze kijken rond en zeggen wat ze vinden
over de stoelen, planten, video.

Als ze er niet waren, zaten we stil
te lezen, mijn moeder las de krant.

Remco Ekkers

Het is duidelijk: als we in het onderwijs aandacht willen besteden aan de inhoud van gedichten, liggen de onderwerpen bijna voor het oprapen. Jan van Coillie heeft onderzocht over welke onderwerpen de dichters van kinderpoëzie de afgelopen dertig jaar zoal hebben geschreven.

1 De kinderwereld van alledag
Het gaat dan om onderwerpen als: versjes voor het slapen gaan, ziek zijn, eten en snoepen, vader en moeder, broertjes en zusjes, andere familieleden (vooral opa's en oma's zijn populair!), spelletjes, de school, naar de kapper (de gang naar de kapper is kennelijk erg ingrijpend voor veel kinderen) en albumversjes.

2 Grappige en zonderlinge verhaaltjes
Deze rubriek bevat gedichten en versjes over onder meer: kabouters en elfjes, heksen, reuzen, draken en spoken, koningen, feeën, Sinterklaas (heel populair), zonderlinge mannetjes en vrouwtjes en levende voorwerpen.

3 Dromen en wensen
Van Coillie maakt hierbij een onderscheid tussen 'echte' dromen en wensdromen ('Ik wou vandaag ik was/een heel klein sprietje gras'). Populair is de wensdroom waarin kinderen naar een land verlangen waar alles mag ('Ik ben lekker stout'). Jan van Coillie rekent tot deze soort ook gedichten waarin kinderen een vraag of vragen stellen.

Vandaag vroeg mijn zoontje
met angstige stem:
Als iemand dood is,
Wat gebeurt er dan met hem?

Willem Wilmink

4 De dierenwereld
Van Coillie: 'De dieren zijn nog altijd de talrijkst voorkomende bewoners van de wereld van de kinderpoëzie.' Vooral katten en poezen zijn in de kinderpoëzie heel populair. Gedichten voor jonge kinderen gaan dan vaak over sprekende en denkende dieren (en niets menselijks is hun vreemd).

5 De natuur
Het ligt voor de hand dat we hier gedichten aantreffen over onderwerpen als: de seizoenen, het weer, de hemellichamen en de planten.

6 Humor en nonsens
Het aandeel van humoristische en nonsensicale gedichten en versjes is groot. Dat is ook niet vreemd: onderzoek naar het leesgedrag van kinderen (niet alleen jonge kinderen!) toont telkens weer aan dat zij graag lachwekkende gedichten lezen. De leerkracht dient met dit gegeven rekening te houden. Dit betekent niet dat hij de kinderen uitsluitend humoristische gedichten laat lezen; ook gedichten met andere onderwerpen kunnen 'leesplezier' verschaffen.

Het overzicht van Van Coillie heeft vooral betrekking op de gedichten voor kinderen van de basisschool. In gedichten voor oudere kinderen (de jeugdpoëzie) zullen we 'zwaardere onderwerpen' aantreffen.

De didactiek
Voor poëzielessen die de aandacht van de kinderen vooral richten op de inhoud van gedichten, zijn – dat zal inmiddels duidelijk zijn geworden – veel gedichten en veel onderwerpen bruikbaar. Bij de keuze van gedichten voor deze lessen kunt u met het volgende rekening houden.

1 Een belangwekkende inhoud
De gedichten die u op het punt van de inhoud met elkaar laat vergelijken moeten voor uw kinderen een belangwekkende inhoud bezitten. U zou bijvoorbeeld rekening kunnen houden met actuele gebeurtenissen in uw groep. Dit vooronderstelt wel dat u een goed overzicht hebt van wat er op het gebied van de kinder- en jeugdpoëzie zoal voorhanden is.

2 Voor elk wat wils
Bij lessen over de inhoud van gedichten gaat het onder meer om het laten vergelijken van gedichten met eenzelfde thema (onderwerp). Dit uitgangspunt biedt differentiatiemogelijkheden: u kunt gedichten kiezen die qua moeilijkheidsgraad (is vooral een vormkwestie) van elkaar verschillen. Als u bepaalde, vrij pittige gedichten voor het onderwerp van uw lessen relevant vindt, kunt u deze zelf voorlezen (en indien nodig toelichting geven).

3 Het thema is het thema
Met dit ietwat cryptisch geformuleerde criterium wordt het volgende bedoeld:
De gedichten die u op het punt van de inhoud met elkaar laat vergelijken moeten echt eenzelfde hoofdthema bezitten. Het lijkt bijvoorbeeld niet zo zinvol een gedicht uit te kiezen waar slechts in één van de strofen het onderwerp van de les(senreeks) aan de orde komt. Natuurlijk kunnen de gedichten wel zo gekozen worden dat ze elk aspect van het hoofdonderwerp belichten.

4 Niet alleen kommer en kwel
De moderne kinder- en jeugdpoëzie schuwt nog maar weinig onderwerpen die vroeger in de taboesfeer lagen. Dat is een goede zaak. Het bete-

kent echter niet dat kinderen jaar in jaar uit geconfronteerd zouden moeten worden met deze onderwerpen. Dat zou wellicht tot de opvatting kunnen leiden dat gedichten altijd over ernstige onderwerpen gaan.

Een aantal keren is het woord 'vergelijken' gebruikt. Dit hangt samen met wat beschouwd kan worden als het uitgangspunt van de lessen over de inhoud van de gedichten. In deze lessen laten we kinderen een aantal gedichten met elkaar vergelijken die inhoudelijk een relatie hebben, maar waarbij sprake is van een verschillende vormgeving. Door deze benadering wordt het inzicht in de aanpak van de professionele dichter vergroot. In hoofdstuk 1 over de waarde en functie van het poëzieonderwijs op de basisschool is aangegeven dat dit kinderen leert met kennis van zaken gedichten te begrijpen en te waarderen. Juist in lessen waarin de kinderen gedichten met elkaar (leren te) vergelijken, kan de leerkracht aan het waarderen ruime aandacht schenken. Om te voorkomen dat kinderen het niet verder brengen dan de beruchte uitspraak: 'Ik vind het wel mooi', moeten zij (uiteindelijk) leren werken met op hun niveau afgestemde waarderingscriteria. Het gefundeerd onder woorden brengen is nu eenmaal moeilijk, zeker voor jonge kinderen die over weinig leeservaring beschikken.

Dat in deze lessen de inhoud centraal staat, heeft voor de werkwijze nog een aantal consequenties. In de eerste inleidende en motiverende fase van een les(senreeks) moet het belang van een thema, een onderwerp duidelijk gemaakt worden.

Kinderen zullen op de inhoud van de gedichten (ook emotioneel) reageren, zeker wanneer deze een aansprekend onderwerp betreffen. De leerkracht moet hen hiertoe voldoende gelegenheid geven.

Er kleeft echter één maar aan: sommige gedichten zullen kinderen enorm aanspreken, bijvoorbeeld omdat zij de weergegeven situatie op die van henzelf betrekken. Dit betekent dat de leerkracht in bepaalde gevallen pedagogisch verantwoord daarmee om zal moeten gaan. Kinderen hoeven niet altijd hun reactie onder woorden te brengen. Zwijgen na het lezen van een gedicht is vaak een adequate reactie. Er zijn nu eenmaal dingen die je niet kunt zeggen.

Uitgewerkte lesvoorbeelden

LESVOORBEELD 1

TITEL VAN DE LES: IK DROOMDE DAT ...
Onderwerp: droomgedichten
Bestemd voor: groep 3
Aantal lessen: 1

Doelen/activiteiten
– De kinderen lezen twee gedichten over twee soorten dromen.
– Zij leren dat je in gedichten kunt schrijven over vrolijke en nare dromen.
– Zij geven de inhoud van de gelezen gedichten in een tekening weer.

WERKWIJZE

Introductie
U laat de kinderen zo veel mogelijk vertellen over dromen:
– Wanneer droom je?
– Wanneer is een droom een fijne droom?
– Wanneer is een droom een nare droom?
– Kun je iets vertellen over een fijne droom die je wel eens hebt gehad?
– Enzovoort.

Kern van de les

Samen met de kinderen leest u twee gedichten over dromen: een nare en een fijne droom. Bijvoorbeeld:

Ik droom...

Ik droom...
Ik droom...
van een nest in een boom
heel hoog boven de grond.

Mijn vader vliegt wat in het rond
moeder propt wurmen in mijn mond
en net als ik dan vliegen wil
dan word ik wakker
met een gil.

Ik lig op de grond
twee vingers in mijn mond.

Burny Bos

Soms droom ik

Soms droom ik
dat ik samen
met beer en pop en poes
ga eten in een restaurant
patat
met appelmoes.

De ober loopt maar heen en weer
hij knikt naar pop, hij buigt voor beer
Nog ijs mevrouw, wil poes nog meer?

Genoeg zeg ik dan,
dank u zeer
tot de volgende keer maar weer.

Burny Bos

Nadat u beide gedichten met de kinderen hebt gelezen, laat u hen bepalen over wat voor soort droom elk gedicht gaat. Natuurlijk laat u hen ook uitleggen hoe ze dat weten. U kunt de inhoud van dit gesprek weergeven op het bord. Bijvoorbeeld:
Gedicht 1 Ik droom
Het vertelt over een nare droom.
Dat weet ik omdat ...

Het spreekt vanzelf dat u de kinderen tijden het groepsgesprek ook laat reageren op de inhoud van de twee gedichten. De kinderen verwerken vervolgens het onderwerp dromen in een tekening. Het tekenblaadje wordt in tweeën gevouwen (of u trekt een streep). Aan de ene kant tekenen de kinderen een vrolijke, fijne droom, aan de andere kant een nare. U laat de kinderen onder de tekening schrijven waarover de droom ging: Ik droom van ...

Opmerking:
Kinderen die er moeite mee hebben een droom te verzinnen (of zich te herinneren) maken een tekening bij de klassikaal besproken gedichten.

Afsluiting

De kinderen laten elkaar, in groepjes van vier, hun tekeningen zien. Zij vertellen elkaar over wat ze hebben uitgebeeld. De tekeningen worden door u verzameld en op een groot vel papier geplakt: Onze droomtekeningen.

LESVOORBEELD 2

TITEL VAN DE LES:
'MORGEN HEB IK SPREEKBEURT'
Onderwerp: gedichten over school
Bestemd voor: groep 6
Aantal lessen: 2

Doelen/activiteiten

- De kinderen lezen een tweetal gedichten over het schoolleven.
- Zij ervaren dat elke dichter op zijn eigen manier eenzelfde onderwerp in een gedicht belicht.
- Zij schrijven zelf een gedicht over hun leven op school.

WERKWIJZE

Les 1

Introductie

U schrijft op het bord: Stel je eens voor... Je bent dichter en je wilt een gedicht schrijven over je school. Over welke onderwerpen zou je dan zoal kunnen schrijven? Vervolgens noemen de kinderen zo veel mogelijk onderwerpen (zij zullen overigens ontdekken dat dat weinig moeite kost). U noteert op het bord drie categorieën:

leuk is op school
vervelend is op school
gewoon (niet leuk en niet vervelend is op school)

Van de onderwerpen wordt gezamenlijk vastgesteld onder welke rubriek ze thuis horen. Soms kan een onderwerp bij meer dan één categorie worden geplaatst.

Kern van de les

U deelt een aantal gedichten over het schoolleven uit. Wij hebben gekozen voor het thema 'je niet zo prettig voelen op school'. De volgende gedichten bijvoorbeeld zijn bruikbaar voor dit thema.

Laatste uur

Een klas vol slaap
de stem voor het bord
wordt een grijze streep
van krijt

ik denk dat ik nooit
met gapen stop
er hangt een zware steen
aan mijn kop
hoe heette ook weer
die dijk?

Zomerdijk, winterdijk, uiterwaarden
een geeuw duurt honderd jaren

ik heb vannacht
te lang liggen lezen
bij het licht van
mijn zaklantaarn.

Thera Coppens

Beugel

Morgen heb ik spreekbeurt
Was die dag maar om.
'k Heb sinds kort een beugel
en ik praat zo stom.
'k Zie me daar al zitten
met m'n slisgeluid.
Daar heb ik geen zin in.
'k Doe dat ding wel uit.
Sjeven sjwarte sjwanen
Sjongens, want een sjin!
Hihi, dat klinkt gek, zeg!
'k Hou dat ding maar in!

Frank Eerhart

De kinderen lezen de beide gedichten in stilte. U laat hen een eerste reactie geven, ze beperken zich daarbij tot één woord. De reacties noteert u op het bord. U laat de kinderen ook aangeven bij welk van de drie rijtjes, die u aan het begin van de les hebt opgesteld, deze gedichten horen (met korte argumentatie).

De kinderen gaan vervolgens in groepjes de gedichten 'onderzoeken'. Dit onderzoek heeft betrekking op de inhoud van de gedichten en op de manier waarop deze inhoud door de dichter op de lezer wordt overgebracht. Elke groep krijgt een aantal vragen, zoals:

1 Val je op school ook wel eens bijna in slaap?
2 Hoe komt dat? Ook omdat je 's nachts hebt gelezen?
3 Welke woorden in het gedicht geven aan dat de 'ik' ongelooflijk slaap heeft?
4 Een spreekbeurt houden en dan ook nog eens een beugel moeten dragen. Waarom is dat heel erg?
5 Vind je dat zelf ook erg?
6 Waarom heeft de dichter 'sjeven sjwarte sjwanen' en 'sjongens wat een sjin' in zijn gedicht geschreven?
7 Welk van de twee gedichten vind je het leukst om te lezen?
8 Kun je ook uitleggen waarom je dat vindt?
9 Welk gedicht vind je moeilijk? Of vind je ze geen van beiden moeilijk?

Afsluiting
In deze fase rapporteren de groepjes over hun bevindingen.

Les 2

Introductie
In deze eerste fase van de les bespreekt u in een groepsgesprek de vraag hoe het zou komen dat zo veel dichters gedichten maken over school (zouden ze misschien aan hun eigen schooltijd terugdenken?)

Kern van de les
U laat de kinderen nog eens het lijstje zien waarop fijne en/of leuke dingen van school zijn vermeld. U kiest er één uit. Samen met de groep stelt u vast (u laat heel veel mogelijkheden geven) wat je in een gedicht over dit onderwerp allemaal zou kunnen weergeven. Eventueel maakt u samen met de groep een gedicht. Vervolgens mogen de kinderen individueel (maar samenwerking is ook niet verboden) een gedicht maken over leuke of fijne dingen die ze op school hebben meegemaakt. Afhankelijk van de ervaring die de groep heeft met het zelf schrijven van gedichten, geeft u al of niet uitgebreide aanwijzingen (zie daarvoor hoofdstuk 4).

Afsluiting
De kinderen wisselen onderling (bijvoorbeeld twee aan twee) de gedichten uit. Ze schrijven een kort commentaar bij de gedichten. Daarbij mogen ze ook aanwijzingen geven voor verbetering.

Tip: U kunt nog een aantal gedichten over school ter inspiratie laten horen voordat de kinderen zelf aan het werk gaan. U kunt er voor kiezen gedichten door kinderen te kiezen. Om zo te laten zien dat niet alleen volwassen dichters graag over school schrijven. Bijvoorbeeld het volgende gedicht uit de bundel *Met kroontjespen of toetsenbord* (The House of Books, 2000):

De Engelse les

De meester probeert ons Engels te leren.
Maar volgens mij lukt dat niet echt.
Hij blijft het maar proberen.
Maar zijn engels is gewoon te slecht.
Als we er iets van zeggen wordt hij ook nog kwaad.
Maar je moet wel lachen als hij Engels praat.

Debbie Hameleers

Opmerkingen:
Deze aanpak is in principe bruikbaar bij veel ande-re onderwerpen en thema's. Voorwaarde is dat het onderwerp aansluit bij de leef- en/of belevingswe-reld van de kinderen in de groep. Deze beide les-sen zouden een vervolg kunnen krijgen: de leerlin-gen gaan op zoek naar gedichten over het schoolle-ven en stellen een bloemlezing van schoolgedich-ten samen. Hier geldt als voorwaarde dat u over voldoende 'materiaal' beschikt. U kunt ook zo af en toe nog eens een schoolgedicht of een school-verhaal voorlezen.

LESVOORBEELD 3

TITEL VAN DE LES:
'REIGER AAN DE WATERKANT'
Onderwerp: gedichten vergelijken
Bestemd voor: (eind) groep 8
Aantal lessen: 1

Doelen/activiteiten
– De kinderen lezen en interpreteren drie gedich-ten over reigers.
– Zij ervaren dat dichters op geheel verschillende wijze (aspecten van) de werkelijkheid kunnen weergeven.
– Zij spreken een voorkeur voor één van de ge-dichten uit en beargumenteren die.

WERKWIJZE

Introductie
U geeft de kinderen een zakelijke tekst (bijvoor-beeld uit een vogelboekje voor kinderen) over rei-gers. De meeste kinderen zullen het zich over het algemeen niet kunnen voorstellen dat het mogelijk is over een vogel als een reiger een gedicht te schrijven. (Dat is wat betreft flamingo's, roodborst-jes en nachtegalen wel anders.) Om hen ervan te overtuigen dat het wel mogelijk is, laat u hen het volgende gedicht lezen.

Reigers

Ik kom er met mijn broertje aangefietst.
De reiger aan de waterkant blijft roerloos staan.
Met reigers is het hopeloos mis.
Dat komt, ze eten vaak zoetwatervis, die
door landbouwgif vergiftigd is.

Door hun snavel komt dat spul
langzaam aan hun hersens in.
Het instinct om weg te gaan
is bij reigers weg; ze blijven staan,
al komen wij er met z'n tweeën aan.

Fetze Pijlman

Kern van de les
De kinderen lezen in stilte nog twee gedichten over reigers, 'Reiger' van Remco Ekkers en 'De oude rei-ger' van Willem Wilmink. Omdat het gedicht van Ekkers voor veel kinderen nogal moeilijk zal zijn, vertelt u eerst iets over de achtergrond. De dichter Remco Ekkers reed een keer met zijn vrouw in de auto over de E10. Langs de kant van de weg zagen ze nogal wat reigers staan. Zijn vrouw zei: 'Ik zou best eens met zo'n reiger een praatje willen maken. Misschien kan ik hem zachtjes over zijn hals stre-

len'. Dat heeft het volgende gedicht opgeleverd.

Reiger

Met die reiger aan de waterkant
zou ik wel eens een praatje willen maken
naast hem hurken en vragen:
'Nog wat kikkers gevangen?'

Samen kijken over het water en
als hij een beetje vertrouwd raakt
wil ik met mijn hand zachtjes
glijden langs zijn hals.

Hem eens lekker pakken
in zijn verenjas en later
de spitse snavel gevaarlijk
laten rusten tegen mijn wang.

Remco Ekkers

Eenvoudiger is het volgende korte gedicht.

De oude reiger

Dit wordt zijn laatste jaargetijde,
de anderen zijn op reis.
Hij lijkt het lijdzaam te verbeiden,
uitkijkend over dode weiden,
behoedzaam stappend over 't ijs.
Totdat hij godverlaten krijst.

Willem Wilmink

Voordat de kinderen nader op de inhoud van deze gedichten ingaan, geeft u een korte toelichting op mogelijke onduidelijkheden (bijvoorbeeld over 'lijdzaam te verbeiden'). Wijst u ook op de rijm-klanken die Wilmink gebruikt.

In groepen (gezien het vrij complexe karakter van de gedichten is groepswerk zeer aan te bevelen) werken de kinderen een aantal vragen uit.

1 Lees de gedichten nog eens heel goed door en bespreek dan welke verschillen je opmerkt. Vraag je af waarover de gedichten gaan; wat willen de dichters je als het ware over reigers vertellen?

2 Stel je eens voor dat je helemaal niets van reigers zou weten. Zou je, nu je deze gedichten hebt gelezen, het een en ander over deze vogels kunnen vertellen? Wat heb je zoal over reigers geleerd?

3 Vertelt Willem Wilmink je in zijn gedicht veel bijzonderheden over reigers? Had boven zijn gedicht ook kunnen staan: 'De oude eend', 'De oude mus' of 'De oude kraai'?

4 Waarom is het woordjes 'oud' in de titel zo belangrijk? Waarom heeft Wilmink niet gewoon geschreven: De reiger?

Afsluiting

Nadat de groepen hebben gerapporteerd, spreken zij hun voorkeur uit voor één van de drie gedichten.

U kunt natuurlijk ook naar aanleiding van deze lessuggestie voor een aantal vervolgactiviteiten kiezen: de kinderen een gedicht over hun 'lievelingsvogel' laten zoeken (en voorlezen), gedichten over andere vogels laten vergelijken, een 'gedichtenvogelboekje' laten samenstellen, een zogeheten Plintposter van een vogelgedicht laten maken (tekst en beeld), naar aanleiding van een zakelijke tekst over een vogel een vogelgedicht laten schrijven.

Opmerkingen:
De beschreven les heeft een vrij pittig niveau. Een voorwaarde om deze les met goed gevolg te kunnen geven, is dat de kinderen in de voorgaande jaren poëzielessen hebben gevolgd. Wij raden u aan deze les over twee leseenheden te verdelen. U moet namelijk ruim de tijd nemen voor de rapportage en de bespreking van de voorkeur van de kinderen voor één van de gedichten.

Tip 1: De dichtbundel *Een Caribisch dozijn. Gedichten van ver gehaald voor jou vertaald* (Uitgeverij Lâle, Nijmegen, 1994) gaat inhoudelijk in op andere culturen. Van 13 Caribische dichters is achtereenvolgens opgenomen: een korte inleidende tekst door de dichter, meerdere gedichten uit het oeuvre en een bibliografie van de dichter. Cathie Felstead heeft er bovendien sfeervolle en kleurrijke illustraties bij gemaakt.

Tip 2: Uit 'De middag van het lievelingsgedicht' (1998) bleek een aantal thema's bij kinderen erg aan te spreken: dwarsliggen – vriendschap – verliefd – nonsens – dood – lezen – dieren. In het bronnenboek *Boekje Open deel 4, gedichten voor kinderen* door Frank Eerhart (1998) wordt per thema een overzicht gegeven van te gebruiken gedichten en dichtbundels.

Tip 3: Rond de Kinderboekenweek zijn door uitgeverij Lemniscaat de laatste jaren poëziebundels uitgegeven vol met gedichten die aansluiten op het thema van de Kinderboekenweek van dat jaar.

Hoofdstuk 10 'De tranen vloeien uit m'n ogen'

De tranen vloeien uit m'n ogen
De woorden uit m'n pen.
Zo schrijf ik urenlang gedichten
Die ik later, als ik tot mezelf gekomen ben
Niet eens meer helemaal herken...

Janet Hoiting

Oriëntatie

Het is in het poëzieonderwijs belangrijk kinderen zeer geregeld te laten ervaren hoe professionele dichters te werk gaan. Janet Hoiting – geen professional, ze was vijftien toen ze het bovenstaande gedicht schreef – is kennelijk tot de ontdekking gekomen dat gedichten in een roes van tranen tot stand kunnen komen. Ene Harry Vos die net als Janet Hoiting tot publicatie van een gedicht in een van de bundels van het Doe Maar Dicht Maar-festival in Groningen is gekomen, heeft zo zijn bedenkingen over de professionele dichter, getuige het volgende gedicht.

Ging ik dichten voor mijn brood
dan stierf ik een hongerdood

Dit hoofdstuk geeft aan hoe het poëzieonderwijs interesse kan wekken voor 'de dichter en zijn werk'.

Achtergrondinformatie

Kinderen leren gedurende de tijd die ze op school doorbrengen de namen van veel schrijvers van kinderboeken. (Wanneer ze tenminste een school bezoeken waar ernst gemaakt wordt met het literatuuronderwijs.) Vaak ook hebben ze op bepaalde momenten in hun leesontwikkeling een lievelingsschrijver, waarvan ze 'alles willen lezen'. De namen van dichters worden veel minder gekend, een enkele uitzondering daargelaten.

Uit interviews met dichters die geregeld op basisscholen optreden, blijkt evenwel dat nogal wat kinderen zeer geïnteresseerd kunnen raken in dichters (en hun aanpak). Het betreft echter wel een interesse onder voorwaarden: het optreden van een dichter moet door de leerkrachten in een kader geplaatst worden, het moet goed worden voorbereid. Zo maar eens via de Stichting Schrijver School Samenleving een dichter naar school halen, leidt niet altijd tot het gewenste effect, integendeel.

Een schrijver schrijft boeken en een dichter schrijft gedichten. De meeste kinderen komen met behulp van het leesboek en in minderen mate met behulp van een bloemlezing met gedichten in aanraking. Het betreft dat altijd 'losse gedichten'. Veel kinderen hebben er geen weet van dat gedichten ook in bundels verschijnen. Nogal wat openbare bibliotheken zijn in het bezit van een aantal plankjes met poëziebundels (hoe lang nog?). Deze worden niet heel frequent uitgeleend, helaas ook niet aan volwassenen. En hoeveel scholen schaffen poëziebundels aan voor de mediatheek?

Het literatuuronderwijs schenkt tegenwoordig ook aandacht aan wat wel het 'literaire systeem' wordt genoemd. Het gaat hierbij dan om onderwerpen als: de waarde van het lezen van verhalen en gedichten voor onze samenleving, hoe verhalen en gedichten lezers kunnen beïnvloeden, over de reclame voor boeken enzovoort. Hiertoe behoort ook het kinderen leren inzicht te verwerven in de rol van de schrijver/dichter, illustrator en uitgevers in wat wel aangeduid wordt met het literaire communicatieproces. Nogal wat leerkrachten laten in dit verband hun leerlingen een schrijver bestuderen en bespreken. Deze werkwijze komt ten aanzien van dichters van kinderpoëzie nog maar zeer sporadisch voor. Het probleem is dat er zo weinig op leerling-niveau over dichters wordt geschreven. Dat betekent dat een leerkracht die hier serieus werk van wil maken, zelf plaats moet nemen achter de tekstverwerker.

Hierboven is aangegeven dat veel kinderen een (sterk en snel wisselende) voorkeur kunnen ontwikkelen voor een bepaalde schrijver, hun lievelingsschrijver, die meestal ook de auteur is van hun lievelingsboek. Er zullen maar weinig leerlingen zijn die er een lievelingsdichter op na houden.

Natuurlijk gaat het er in het poëzieonderwijs niet om kinderen geforceerd een lievelingsdichter of een lievelingsgedicht aan te praten of hen te dwingen poëziebundels te gaan lezen. Forceren en dwingen horen in het literatuuronderwijs nu eenmaal niet thuis. Wel dient een verantwoord literatuuronderwijs de leerlingen een brede oriëntatie te bieden. Dat kan onder meer betekenen dat de kinderen in de leeskring niet altijd een verhalend boek pakken, maar op gezette tijden ook een poëziebundel. Natuurlijk is dat voor veel kinderen lang niet eenvoudig en een leerkracht zal hen daarbij ook moeten helpen (zie derde lessuggestie in dit hoofdstuk). Hetzelfde geldt voor het kiezen van je lievelingsgedicht of je lievelingsdichter en het bestuderen van deze dichter.

De didactiek

De drie lesvoorbeelden hebben betrekking op twee onderwerpen: het bestuderen van een dichter en zijn of haar werk en de presentatie van een gedichtenbundel. Omdat zo'n presentatie nogal wat van leerlingen vraagt (kennis, vaardigheden) worden suggesties gegeven voor een aanpak in groep 8. De kinderen kunnen aan het einde van de basisschool met behulp van deze presentatie laten zien wat zij zoal hebben opgestoken van het poëzieonderwijs. Overigens is het zeker niet de bedoeling dat alle leerlingen uit deze groep een bundel presenteren (al is het natuurlijk ook weer niet 'verboden'). Omdat het – ook voor goede leerlingen – een tamelijk ingewikkelde opdracht betreft, wordt in het lesvoorbeeld een aandachtspuntenlijstje gegeven dat bij de voorbereiding en uitvoering van de presentatie gebruikt kan worden.

Voor het onder 'een dichter bestuderen', worden twee lesvoorbeelden gegeven, één voor groep 5 en één voor groep 7. Bij groep 5 is eigenlijk nog geen sprake van een echte bestudering. Het gaat er in deze groep vooral om de kinderen regelmatig intensief met het werk van één dichter te confronteren. In groep 7 kan van de kinderen meer gevraagd worden, zij kunnen bijvoorbeeld zelfstandig een klein onderzoek verrichten. De beide lesvoorbeelden hebben een duidelijk exemplarische bedoeling: leerkrachten kunnen andere dichters op de weergegeven manieren laten bestuderen. Natuurlijk is het wel handig in het team af te spreken welke dichter in welke groep aan de orde komt.

Het zou niet goed zijn als een team zich wat betreft het onderwerp 'dichters' zou beperken tot de weergegeven (of soortgelijke) lessen. Er is veel meer mogelijk en eigenlijk ook noodzakelijk.

Wanneer een leerkracht een gedicht laat lezen of voorleest vertelt hij altijd (niet alleen in de bovenbouw) wie het gedicht heeft geschreven. Oudere kinderen krijgen ook informatie over de bundel waaraan het gedicht is ontleend. (En als het enigszins mogelijk is, krijgen de kinderen de bundel ook te zien.) Mogelijk geeft de leerkracht enige achtergrondinformatie over de dichter (in het losbladige *Lexicon van de jeugdliteratuur* is over de meeste moderne dichters wel het één en ander te vinden). Deze informatie wordt genoteerd in een overzicht. Om de kinderen het overzicht te laten bewaren kan de leerkracht een lijst maken van dichters van wie een gedicht is gelezen en die op een goed zichtbare plaats in het lokaal ophangen (bijvoorbeeld in een lees/schrijfhoek of boekenhoek). In de loop van het schooljaar groeit de lijst. Wanneer een leerkracht werkt met een leesdossier of een leesdagboek (zie hoofdstuk 5) kunnen de kinderen hierin zo'n overzicht opnemen (en bijhouden).

Een les over een bepaalde dichter kan een vervolg krijgen in de vorm van een kleine tentoonstelling: foto van de schrijver, een paar 'groot geschreven' gedichten, bundels enzovoort. Samenwerking met een openbare bibliotheek ligt hier voor de hand.

In de voorgaande paragraaf is aangegeven dat kinderen gedurende bepaalde periodes wel een lievelingsboek en/of –schrijver kunnen noemen, maar dat dit met betrekking tot dichters en gedichten veel minder het geval is. Dit wil niet zeggen dat de onderwerpen lievelingsgedicht en lievelingsdichter in het poëzieonderwijs niet aan de orde hoeven te komen. Een leerkracht kan bijvoorbeeld zelf vertellen welk gedicht hij heel mooi vindt (en waarom) en dit voorlezen. Hij kan ook aangeven van welke dichter hij graag gedichten leest. In de meeste moderne leesboeken voor het basisonderwijs zijn nogal wat gedichten opgenomen. Wanneer het leesboek 'uit' is, kan een leerkracht de kinderen de opdracht geven op zoek te gaan naar het mooiste gedicht in het boek. Misschien valt er zelfs wel een soort klassikale top 5 vast te stellen. Wel is het van belang de kinderen te laten beargumenteren waarom een bepaald gedicht of bepaalde gedichten de voorkeur genieten.

Deze suggesties hebben betrekking op de gedichten en de bundels van professionele dichters. Wanneer een leerkracht de kinderen de gedichten die zij in een schooljaar zelf schrijven laat verzamelen in een leesdossier, kan hij hen aan het einde van het schooljaar de opdracht geven uit het eigen werk een bundel samen te stellen. De leerlingen nemen hun gedichten nog eens goed door en bepalen welke gedichten zij in hun bundel opnemen. De leerkracht bindt het aan een bepaalde omvang om de kinderen er zo toe te brengen alleen die gedichten op te nemen waarover zij zeer tevreden zijn. Het is ook mogelijk de leerlingen in tweetallen te laten werken. Zij bespreken samen welke gedichten in de bundel kunnen worden opgenomen. Natuurlijk heeft hierbij de dichter het laatste, beslissende woord. De eigen bundel moet ook worden geïllustreerd. De kinderen kunnen gebruik maken van de tekeningen die ze al eens gemaakt hebben bij hun gedichten (zie hoofdstuk 8), of nieuwe illustraties maken. De voorgaande suggestie vooronderstelt dat de kinderen in de groep de beschikking hebben over veel eigen gedichten. Wanneer dit niet het geval is, kan een leerkracht kiezen voor een aangepaste werkwijze. Hij stelt een redactie samen die een groepsbundel samenstelt. Elke leerling mag drie gedichten insturen. De redactie maakt een keuze: van elke leerling in de groep wordt één gedicht in de bundel opgenomen.

Vanzelfsprekend heeft de redactie de plicht uit te leggen waarom voor de opgenomen gedichten is gekozen.

Uitgewerkte lesvoorbeelden

LESVOORBEELD 1

TITEL VAN DE LESSENSERIE: STOUT ZIJN?
Onderwerp: Annie M.G. Schmidt
Bestemd voor: groep 5
Aantal lessen: 1

Doelen/activiteiten

- De kinderen luisteren naar een fragment uit Floddertje.
- Zij lezen een gedicht van Annie M.G. Schmidt.
- Zij krijgen informatie over deze dichter.
- Zij luisteren naar een aantal van haar gedichten.
- Zij krijgen belangstelling voor haar werk.

WERKWIJZE

Introductie

U begint de les met het voorlezen van het volgende gedicht van Annie M.G. Schmidt.

Niet alleen de
eendjes zwemmen in het water

Er leefde eens in Hillegom
een heer die in de vijver zwom
tezamen met de eenden.
En die verklaarde, dat hij kroos
ver boven erwtensoep verkoos
en dat hij dit ook meende.

Zijn vrouw stond aan de waterkant
en riep: Kom binnen, Ferdinand!
Zij jammerde en weende.
Maar deze heer uit Hillegom
zei: Nee, ik denk niet, dat ik kom,
ik blijf maar bij de eenden.

Nu zwemt hij daar de hele dag.
En alle eenden zeggen: Ach,
hij moet het zelf maar weten.
Zijn vrouw is echter zeer ontstemd
dat hij in de vijver zwemt
en nooit meer thuis komt eten.

U vertelt dat dit gedicht uit de bundel komt met naam *Ik ben lekker stout*. Vervolgens leest u een fragment voor uit *Floddertje*. Het zal u weinig moeite kosten een fragment te vinden waarin Floddertje 'stout ' is. Natuurlijk wijst u ook op de typerende naam van dit meisje. Naar aanleiding van het verhaal voert u een kort klassengesprek over vragen als:

- Wanneer ben je stout?
- Hebben ze wel eens tegen je gezegd: 'Dat is stout', en wist je toen niet waarom je stout was?
- Is het erg om soms een beetje stout te zijn?

Hierna vertelt u het een en ander over het werk van Annie M.G. Schmidt.

Kern van de les

De kinderen lezen in stilte het volgende gedicht.

Bad

Kijk, wie zit daar in het bad?
Pippeloentje, Pippeloentje!
En hij spettert en hij spat.
Hij maakt heel de kamer nat.

Daar zit beertje in de tobbe,
Mamma beer gaat aan het schrobben
en aan 't wassen met een spons.
Foei, zegt ze, dat kind van ons
zit vol modder en grind.
Wat een smerig berekind!
Dat komt van het slootjespringen.
Altijd doe je stoute dingen!
Andere beertjes zijn veel netter!
Hou toch op met dat gespetter.
Komt de zeep weer in je ogen?
Zo, nu zullen we je drogen.
Dan wordt Pippeloentje even
Met een handdoek afgewreven.
Denk erom, zegt moeder beer,
slootjespringen mag niet meer!

U praat met de kinderen over de inhoud van dit
gedicht.
– Wat heeft Pippeloentje gedaan?
– Waarom vindt mamma beer hem stout?
– Denk je dat ze heel boos op hem is?
– Zijn kinderen die zich vies hebben gemaakt ook
  stout?
– Is het wel eens leuk om je vies te maken?

Afsluiting
U leest aan het einde van deze les nog een aantal
gedichten van Annie M.G. Schmidt voor (niet per
se gedichten over stoute kinderen of beertjes). Ook
laat u de kinderen vertellen of ze vinden dat Annie
M.G. Schmidt leuke gedichten kan schrijven.

Toelichting
Informatie over Annie M.G. Schmidt treft u onder
meer aan in het *Lexicon van de jeugdliteratuur* en in het
Schrijvers prentenboek 31 *Altijd acht gebleven, Over de
kinderliteratuur van Annie M.G. Schmidt*. Alle 347 kinderversjes van Annie M.G. Schmidt zijn verzameld in

Ziezo. Hieraan heeft ook een groot aantal bekende illustratoren meegewerkt, zoals Wim Bijmoer, Jenny
Dalenoord, Mance Post en Fiep Westendorp.

Uit het lesvoorbeeld blijkt dat gekozen is voor een
thematische benadering: stout zijn (en wat is dat eigenlijk?). Een thema dat in het werk van Annie
M.G. Schmidt veelvuldig opduikt. Natuurlijk is het
ook mogelijk voor een ander thema te kiezen.

LESVOORBEELD 2

TITEL VAN DE LESSENSERIE:
WILLEM WILMINK
Onderwerp: het werk van Willem Wilmink
Bestemd voor: groep 8
Aantal lessen: 2/3

Doelen/activiteiten
– De kinderen luisteren naar gedichten van Wil-
  lem Wilmink.
– Zij lezen een informatieve tekst over zijn leven
  en werk.
– Zij lezen een informatieve tekst over poëzie van
  Wilmink.
– Zij luisteren naar een verhalende tekst van
  Wilmink.
– Zij vergelijken een aantal gedichten en spreken
  en beargumenteerde voorkeur uit voor één van
  deze gedichten.
– Zij krijgen een beeld van het werk van deze
  dichter-schrijver.
– Zij krijgen belangstelling voor zijn werk.

WERKWIJZE

Les 1

Introductie
U leest een gedicht voor van Wilmink. Bijvoorbeeld:

Daar ligt mijn vriend begraven

Op een klein kerkhof in 't boerenland
daar ligt mijn vriend begraven.
Ze hebben hem daar op zekere dag
met zijn allen heen gedragen.

Nog even om zijn graf gestaan,
hem toen alleen gelaten.
Zo heel alleen in de bleke zon,
in de regen en in de hagel.

De lente neemt hem bloesems mee,
de zomer zonnestralen.
De winter dekt hem toe met sneeuw,
het najaar met najaarsblaren.

Komt de regen door de bladeren heen,
dan druppelen dikke tranen
op een klein kerkhof in 't boerenland.
Daar ligt mijn broer begraven.

Vervolgens vertelt u kort het één en ander over zijn leven en werk (zie het al eerder genoemde *Lexicon van de jeugdliteratuur* of *Schrijver gezocht*). Het is ook mogelijk dat u op basis van deze beide naslagwerken zelf een korte informatieve tekst schrijft, die aandacht schenkt aan drie onderwerpen: leven, overzicht van het werk en de kritieken (wat vindt men van zijn gedichten?)

Kern van de les
De kinderen lezen een hoofdstuk uit *In de keuken van de muze*. Hierin heeft Wilmink zijn drie boekjes over het lezen en schrijven van gedichten voor kinderen samengevoegd (*Koen, maak je m'n schoen?*, *Waar het hart vol van is* en *Goedenavond, speelman*). Ze lezen bijvoorbeeld het hoofdstuk 'Vormen van vergelijkingen' op bladzijde 84.

Afsluiting
U leest een verhaal van Wilmink voor; bijvoorbeeld *Het verkeerde pannetje*.

Les 2/3

Introductie
U laat de kinderen vertellen wat ze in de vorige les over Willem Wilmink zoal hebben geleerd.
U vat deze informatie voor hen samen. Duidelijk moet zijn hoe veelzijdig deze dichter-schrijver is.

Kern van de les(sen)
De kinderen 'bestuderen' in kleine werkgroepjes een tweetal gedichten van Wilmink.
Bijvoorbeeld:

Lezen is heerlijk

Het kan heerlijk wezen
om een boek te lezen
boom-roos-vis-vuur
een boek is heus niet duur.

Hier op bladzij tachtig
is mijn boek zo prachtig,
want daar gaat een wit konijn
naar zijn oma met de trein.

En op bladzij honderd:
pispot omgedonderd.
Ha, wat moet ik lachen, man.
Krijg er bijna buikpijn van.

Maar bij bladzij zeven
huil ik altijd even
want daar gaat een kikker dood
ergens in een boerensloot.

Beroepskeuze

Lieve tante Truida
vraagt altijd aan mij:
'Wat wil je later worden
in de maatschappij?'

'Word je later dokter,
word je dominee?'
Tante, lieve tante,
ik heb geen idee!

Nachtwaker? – Nee.
Haringkaker? – Nee.
Maar stratemaker
ja stratemaker
stratemaker op zee.

Goeie ome Karel
vraagt altijd aan mij:
'Wat wil je later worden
in de maatschappij?'

'Word je later schooljuffrouw
of moeder van een kind?
Goeie oom Karel,
'k weet niet wat ik vind.

Baker? – Nee.
Notenkraker? – Nee.
Maar stratemaker
ja stratemaker
stratemaker op zee.

De leerlingen moeten tot overeenstemming komen over de vraag welk gedicht hun het meeste aanspreekt. (Een minderheidsstandpunt innemen kan natuurlijk.) Over het gedicht dat de voorkeur heeft, wordt een beknopte beoordeling geschreven. De beoordelingen worden in de leeskring voorgelezen en eventueel becommentarieerd door de andere groepen.

Als alternatief voor het bovenstaande kunt u de kinderen ook enkele gedichten voorleggen van verschillende dichters over hetzelfde onderwerp. De kinderen bepalen dan welk gedicht het best de bedoeling weergeeft. In themasupplement 6 *Ik schrijf, ik schrijf wat jij niet schrijft* van de Stichting Kinderen en Poëzie staan rondom diverse thema's steeds 2 gedichten opgenomen. Dit kunt u dan ook als voorbeeld gebruiken.

Afsluiting
Aan het einde van de drie lessen over Wilmink zet u samen met de kinderen nog eens alles op een rijtje:
– Wat hebben we gedaan?
– Wat hebben we geleerd?
– Waren het interessante lessen?

Toelichting
Het betreft hier duidelijk een lessenserie die aan het eind van groep 8 pas kan worden uitgevoerd. Wat de kinderen over het lezen van gedichten op de basisschool hebben geleerd, komt in deze lessen aan de orde. Bovendien preludeert de weergegeven aanpak

op die in de basisvorming in het voortgezet onderwijs, waar van de leerlingen gevraagd wordt in groepen samen (zelfstandig) een probleem op te lossen.

LESVOORBEELD 3

TITEL VAN DE LES:
VERTELLEN OVER EEN GEDICHTENBUNDEL
Onderwerp: het (gestructureerd) presenteren van een gedichtenbundel
Bestemd voor: groep 8
Aantal lessen: 1

Doelen/activiteiten
– De leerlingen bestuderen een aandachtspuntenlijst voor het bespreken van een gedichtenbundel.
– Zij luisteren naar een bespreking van een gedichtenbundel.
– Zij lezen een aantal gedichten en bekijken een aantal illustraties uit deze bundel.

WERKWIJZE

Introductie
U begint deze les met de vraag: 'Waar kun je gedichten vinden?' De kinderen zullen waarschijnlijk het leesboek noemen. Er zijn natuurlijk meer mogelijkheden:
– in de krant (kinderpagina)
– bloemlezingen
– poesiealbums
– posters (Stichting Plint)
– gedichtenbundels.
Vervolgens laat u een gedichtenbundel zien en vertelt u kort hoe zo'n bundel tot stand kan komen. Daarna voert u met de kinderen een gesprek over de beide volgende vragen:

– Hoe komt het dat het niet zo gemakkelijk is over een bundel met gedichten het één en ander te vertellen?
– Heb je ideeën over de manieren waarop je dit zou kunnen doen?
Met betrekking tot de tweede vraag noteert u zo veel mogelijk suggesties op het bord.

Kern van de les
U geeft de kinderen de volgende lijst met aandachtspunten:

Een gedichtenbundel presenteren

Het voorwerk
1 De naam van de bundel is:
2 De dichter heet:
3 De illustraties in de bundel zijn gemaakt door:

De inhoud
4 Hoeveel gedichten staan er in de bundel?
5 Over welke onderwerpen heeft de dichter geschreven? Horen sommige gedichten bij elkaar?
6 Vind je in de bundel:
   – vooral korte gedichten?
   – vooral langere gedichten?
   – korte en langere gedichten?
7 Heeft de dichter alleen rijmende gedichten geschreven?
8 Snap je alle gedichten?
9 Welke gedichten of welk gedicht vind je bij voorbeeld nogal moeilijk? Wat snap je niet zo goed? Wat vind je ervan?
10 Welk gedicht of welke gedichten vind je heel mooi?
11 Kun je ook uitleggen waarom je juist deze gedichten of dit gedicht heel mooi vindt?
12 Zou je willen dat je zelf ook zulke gedichten zou kunnen schrijven?

13 Vind je dat de andere kinderen in de groep deze bundel met gedichten ook zouden moeten
lezen? Kun je uitleggen waarom je dat vindt?

De illustraties

14 Kan je aangeven wat voor illustraties er in de
bundel staan? Op wat voor manier denk je dat
ze zijn gemaakt?
15 Vind je dat de illustraties goed bij de gedichten
passen?
16 Begrijp je sommige gedichten beter door de illustratie die erbij staat?
17 Welk illustratie vind je heel mooi? En welke
juist niet?

Voorlezen

18 Kies een paar gedichten uit die je aan de andere kinderen in de groep wilt voorlezen.

U bespreekt vervolgens aan de hand van deze punten zelf een gedichtenbundel, u geeft een soort
modelpresentatie.

De kinderen letten tijdens uw presentatie op de
aandachtspunten van de lijst. Kopieer een aantal
gedichten en illustraties uit de bundel, die u samen
met de kinderen leest en bekijkt.
U laat de kinderen aangeven welke aandachtspunten zij nog moeilijk vinden en waarbij ze nog wel
enige toelichting zouden willen krijgen. Laat vooral duidelijk uitkomen dat het per se niet de bedoeling is bij de presentatie van een gedichtenbundel
de lijst vraag voor vraag te beantwoorden.

Afsluiting

Aan het einde van deze les maakt u met een aantal
kinderen afspraken: wie gaat wanneer een keer
een gedichtenbundel presenteren? Natuurlijk
zorgt u ervoor een aantal bundels bij de hand te
hebben waaruit een keuze gemaakt kan worden. Er
zal in veel gevallen sprake zijn van een geleide keuze: van bepaalde bundels kunt u namelijk voorspellen dat sommige kinderen er moeite mee zullen
hebben.

Tip 1: Op internet zijn verschillende websites te
vinden waar je meer informatie over schrijvers en
dichters kunt vinden. Bijvoorbeeld www.schrijvers-
net.nl en www.goudenmuis.nl.

Tip 2: In dit hoofdstuk is besproken dat het 'zo
maar eens (...) een dichter naar school halen' niet
altijd leidt tot het gewenste effect. Duidelijk mag
zijn dat het vragen van een dichter op school wel
degelijk meerwaarde kan geven aan uw poëzielessen. Stichting Schrijver School Samenleving kan u
adviseren bij uw keuze voor een bepaalde dichter
en ideeën aan de hand doen om zijn of haar komst
gedegen voor te bereiden.

Hoofdstuk 11 'Ik las met de klas een heerlijk gedicht'

Toen ik voor het eerst al die kinderen zag,
stond ik voor de klas met een vrolijke lach:
de septemberdag leek op een lentedag.

Ik las met de klas een heerlijk gedicht,
daar stond: 'ik vin je zoo lief en zoo licht' –
toen kreeg ik een propje in mijn gezicht.

'Het is met de orde
dus nooit wat geworden.'

Willem Wilmink
(fragment uit 'De bezielde leraar')

Oriëntatie

De omgang met poëzie op de basisschool moet meer zijn dan het in stilte lezen van 'zo maar eens een gedichtje'. Er behoort daarentegen sprake te zijn van een soort poëziewerkplaats. Al is het nu ook weer niet per se noodzakelijk dat de activiteiten bestaan uit het gooien van propjes naar de leerkracht. Op gezette tijden worden tijdens de poëzie-uren gedichten op enigerlei wijze gepresenteerd, door zowel de leerkracht als de kinderen. In dit hoofdstuk worden de hoofdzaken over het presenteren van gedichten nog eens op een rijtje gezet.

Achtergrondinformatie

Bij de presentatie van gedichten zijn drie groepen betrokken: de leerkrachten, de kinderen en (incidenteel) professionele dichters. Het begrip presentatie kan betrekking hebben op een groot aantal activiteiten die globaal gesproken aangeduid kunnen worden met: voorlezen, voordragen, zingen, spelen en visualiseren (zie hoofdstuk 8). En er zijn natuurlijk ook combinaties mogelijk tussen vormen van presenteren.

Meermalen is al gewezen op het belang van het zeer geregeld voorlezen van de gedichten door de leerkracht. In de meeste uitgewerkte lesvoorbeelden worden hiervoor suggesties gegeven. Veel van de lessen beginnen en eindigen met het voorlezen van één of meer gedichten. Meestal betreft het gedichten van professionele dichters. Het is echter ook mogelijk, zelfs aan te bevelen, dat een leerkracht zelf meedoet. Dat wil zeggen dat hij de schrijfopdrachten die hij de kinderen geeft, ook zelf uitvoert. Zoals in hoofdstuk 10 is aangegeven behoort tot het presenteren van poëzie door de leerkracht ook het noemen van de naam van de dichter, het geven van achtergrondinformatie, het tonen van de bundel of bloemlezing waaraan het gepresenteerde gedicht is ontleend (inclusief aandacht voor de illustrator en de illustraties) en het presenteren van een complete bundel.

Het presenteren van gedichten en dichters kan ook bestaan uit wat genoemd is het visualiseren. In een lokaal moet zichtbaar zijn dat poëzie belangrijk gevonden wordt. Eigenlijk zou ieder lokaal daarom een poëziehoekje moeten hebben. Het hoekje wordt gevuld met posters, foto's van dichters, bundels en bloemlezingen, de producten van de kinderen, overzichten van gelezen gedichten enzovoort.

Ook de kinderen presenteren gedichten. Hierbij gaat het om gedichten van professionele dichters, maar zeker ook om de eigen schrijfproducten. Wanneer gedichten slecht worden voorgelezen – en dat geldt ook voor de gedichten die de kinderen zelf hebben geschreven – kan er veel van het waardevolle van een gedicht verloren gaan. Eerder is al aangegeven dat aansluiting bij het expressief lezen hier welhaast voor de hand ligt. Een groot aantal gedichten – met name verhalende die nogal eens dialogen bevatten – lenen zich uitstekend voor een presentatie met behulp van dramatische werkvormen.

Kinderen kunnen actief worden betrokken bij de inrichting van het poëziehoekje in het lokaal. In een groep waarin de leerkracht er door zijn poëzie-onderwijs in is geslaagd de kinderen warm te laten lopen voor het lezen en schrijven van gedichten, zullen zij zelf initiatieven nemen voor de aankleding van hun poëziehoek. Onder meer in hoofdstuk 8 is aangegeven dat poëzie zich uitstekend leent voor een vorm van 'beeldende verwerking'. Dat betekent dat de poëziehoek veelvuldig de producten van deze verwerking kan laten zien.

Poëzie wordt en werd niet alleen voorgelezen en opgezegd (voorgedragen). Veel gedichten zijn eigenlijk liedteksten. We hoeven daarbij niet alleen te denken aan allerlei traditionele kleuterversjes. Nog in de zeventiende eeuw zetten gerenommeerde dichters als P.C. Hooft en G.A. Brederode boven hun gedichten vaak aanwijzingen voor de manier waarop deze gezongen zouden kunnen worden. Het is ook geen toeval dat de gedichten van Brederode in 1622 werden uitgegeven in een boek dat als titel *Groot lied-boek* meekreeg.
Veel kinderen ervaren het als een verrassing wanneer ze merken dat ze bij het zingen eigenlijk een gedicht ten gehore brengen. Het is zeker niet de bedoeling liederen die een leerkracht met zijn leerlingen zingt eerst 'dood te analyseren'. Het kan echter zeker geen kwaad – integendeel – geregeld naar de tekst van een lied te kijken. Het kan bij-

voorbeeld voor kinderen heel interessant zijn bijzonderheden te horen over traditionele liederen die zij op feest- en andere hoogtijdagen zingen. Hoewel bij muzikale vorming het zelf doen op de voorgrond staat, is het zeker ook zinvol de kinderen te laten luisteren naar gezongen teksten. Bovendien bevatten de meeste CD-doosjes ook de teksten van de liedjes.
Integratie tussen muzikale vorming en het poëzie-onderwijs is nog op meer terreinen mogelijk: ritme en metrum in muziek en in poëzie, muziek als aanleiding tot het schrijven van poëzie (zie ook hoofdstuk 4), het bepalen welke muziek het beste bij een bepaald gedicht past, het laten horen van muziek bij de presentatie van gedichten enzovoort.

De didactiek
Het uitgangspunt bij het expressief voorlezen van gedichten is dat kinderen een gedicht (of elke andere tekst) alleen maar goed kunnen voorlezen als zij dat gedicht 'begrijpen'. Bij gedichten die ze zelf hebben geschreven, zal dit begrijpen nauwelijks problemen geven. Dit beginsel betekent overigens niet dat er in de gedichten die de kinderen voorlezen geen sprake meer zou zijn van 'open plekken'. Wezenlijk voor poëtische teksten is nu eenmaal dat niet alles heel exact kan worden ingevuld.
Het betekent wel dat in een les waarin kinderen een gedicht of gedichten ten gehore brengen, zij zich eerst bezighouden met het (leren) begrijpen van de voor te lezen tekst(en) en zich vervolgens voorbereiden op de verklanking. Bij het voorbereiden gaat het om zaken als duidelijkheid (niet te zacht, niet te vlug, met pauzes enzovoort), prettig om naar te luisteren (bijvoorbeeld zonder de beruchte leesdreun) en om een aan de inhoud en bedoeling van het gedicht aangepaste wijze van voorlezen.
In de voor groep 4 bestemde voorbeeldles beoefe-

nen de kinderen het voorlezen van slaapliedjes. Zij moeten bij het voorlezen de bedoeling en de sfeer van deze liedjes duidelijk laten uitkomen.

Tussen het voorlezen van een gedicht en het spelend presenteren van een gedicht kan een aantal stappen worden onderscheiden. Sommige gedichten bevatten dialogen. Bij het voorlezen van deze gedichten kunnen de rollen worden verdeeld. Ook is het soms mogelijk het gedicht te laten presenteren door een aantal leerlingen uit de groep (de dialogen) en door de 'rest' van de groep: een soort spreekkoor (dit koor zegt bijvoorbeeld het refrein). Weer een stap verder is het echt spelen van een gedicht. Een vrij eenvoudige vorm is de kinderen bij het voorgelezen gedicht passende 'bewegingen' te laten maken (mimisch of pantomimisch). Bij langere verhalende gedichten spelen de kinderen de verschillende rollen. Hiervoor zijn twee mogelijkheden: de kinderen houden zich aan de tekst van de dichter of zij gebruiken deze tekst als aanleiding voor een toneelspel.
De twee voorbeeldlessen voor groep 6 zijn op deze ontwikkelingslijn gebaseerd.

De voorbeeldles voor groep 8 combineert twee vormen van presentatie: de kinderen lezen eigen gedichten en gedichten van professionele dichters voor (ze beargumenteren bovendien hun keuze) en zij verwerken deze gedichten vervolgens in een gedichtenboom. Deze les kan gebruikt worden ter afsluiting van het poëzieonderwijs op de basisschool.

Uitgewerkte lesvoorbeelden

LESVOORBEELD 1

TITEL VAN DE LESSENSERIE: IN SLAAP LEZEN
Onderwerp: het expressief voorlezen van slaapliedjes
Bestemd voor: groep 4
Aantal lessen: 1

Doelen/activiteiten
– De leerlingen luisteren naar twee korte gedichten.
– Zij ervaren dat je bij het voorlezen de sfeer, de stemming van gedichten kunt laten horen.
– Zij presenteren twee slaapliedjes.

WERKWIJZE

Introductie
U leest twee korte gedichten van J.C. van Schagen voor. U laat bij het voorlezen de sfeer (respectievelijk vrolijk en 'verstild') goed uitkomen.

doe eens...

doe eens een spelletje
blaas eens een belletje
rebbel een relletje
heus, dat màg
er is genoeg voor een dag
van zomaar een welletje

de zee is heel stil
zachtjes sneuvelt een golfje
dan is het weer stil

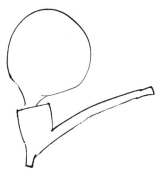

U vraagt de kinderen of ze verschillen in de manieren waarop u deze gedichten hebt voorgelezen hebben opgemerkt. Laat hen ook vertellen waarom u de twee gedichten op twee heel verschillende manieren hebt voorgelezen.

Kern van de les

U voert een groepsgesprek over het onderwerp slaapliedjes. U zegt zelf een voorbeeld van een slaapliedje op en u laat ook een aantal kinderen een slaapliedje presenteren. In het gesprek gaat het vooral om de vragen welke functie slaapliedjes hebben en waarom je ze het beste op een bepaalde manier kunt zeggen. (Laat de kinderen de antwoorden op deze vragen zelf ontdekken.)

Vervolgens gaan de kinderen in groepjes aan het werk met twee slaapliedjes. Zij krijgen de opdracht het voorlezen van de twee gedichten voor te bereiden. Het gaat om slaapliedjes en dat moet je goed laten horen! De kinderen oefenen het voorlezen van de gedichten in de groep. Dit heeft als voordeel dat alle kinderen een beurt krijgen. Een aantal kinderen (bijvoorbeeld één per werkgroepje) leest één van de beide gedichten klassikaal voor. Laat duidelijk uitkomen dat je het gedicht van Paul van Ostayen eigenlijk steeds zachter zou moeten voorlezen. De 'ik' valt immers in slaap!

Het gaat om de volgende gedichten.

Berceuse Nr. 2

slaap als een reus
slaap als een roos
slap als een reus van een roos
reuzeke
rozeke
zoetekoeksdozeke

doe de deur dicht van de doos
Ik slaap

Paul van Ostayen

Ballon

We kochten een ballon
een zilveren, met gas.
Hij wilde hoger en hoger.
Je hield hem vast.

Naar bed. Maar de ballon moet mee.
Het touwtje los? Daar zeeft hij,
mooi gezicht. Het is alsof je slaapt.
Je slaapt.

Wiel Kusters

Afsluiting

U sluit deze voorleesles af door het volgende gedicht van Ienne Biemans voor te lezen.

Onder het lichte
ligt het zware.
Onder het zware
ligt een sprei.
Onder de sprei
het hout, de aarde.
Onder de aarde
een vuurkei.
Wie er op de vuurkei kwam
kraaide als een hanekam.
Wie er op de vuurkei liep
droomde dat zijn meisje op een berevel sliep.
Wie er aan de vuurkei dacht
had een lange warme nacht.
Slaap – zacht

LESVOORBEELD 2

TITEL VAN DE LESSENSERIE:
O, O, O, SEBASTIAAN!
Onderwerp: het presenteren (voorlezen en spe-
len) van twee verhalende gedichten van
Annie M.G. Schmidt
Bestemd voor: groep 6
Aantal lessen: 2

Doelen/activiteiten
– De leerlingen luisteren naar een gedicht met
  een tweetal monologen.
– Zij lezen en presenteren twee verhalende gedichten.
– Zij verkennen de mogelijkheden om de drama-
  tiek tot uitdrukking te laten komen.

WERKWIJZE

Les 1

Introductie
Lees dit gedicht van Diet Verschoor voor.

Haal jij eens even

Mijn moeder zegt:
haal jij mijn tas,
boven naast mijn bed.
Doe dan de afwas vlug,
breng mij daarna
mijn boeken terug.

Mijn vader zegt:
loop jij even naar Verwey
koop witte verf voor deze kast.
Dat verven is een heel karwei.
doe jij die boodschap snel voor mij.

Als ik een kind had,
als ik ouder was,
dan keek ik eerst eens even
of dat kind soms ook
met iets belangrijks bezig was.

U laat eerst de kinderen op de inhoud van het gedicht reageren. Herkennen ze de situatie? Kunnen
ze eigen voorbeelden geven? Daarna gaat u nader
in op de vorm. U laat de kinderen ontdekken dat
er drie keer iemand aan het woord is in het gedicht: de moeder, de vader en 'de dichter'. U laat
drie kinderen ieder een couplet van het gedicht
voorlezen.

Kern van de les
De kinderen lezen in stilte het gedicht over de eigen-
zinnige spin Sebastiaan van Annie M.G. Schmidt.

Sebastiaan

Dit is de spin Sebastiaan.
Het is niet goed met hem gegaan.

LUISTER!

Hij zei tot alle and're spinnen:
Vreemd, ik weet niet wat ik heb,
maar ik krijg toch zo'n drang van binnen
tot het weven van een web.

Zeiden alle and're spinnen:
O, Sebastiaan, nee, Sebastiaan,
kom, Sebastiaan, laat dan nou,
wou je aan een web beginnen
in die vreselijke kou?

Zei Sebastiaan tot de spinnen:
't Web hoeft niet zo groot te zijn,
't hoeft niet buiten, 't kan ook binnen
ergens achter een gordijn.

Zeiden alle and're spinnen:
O, Sebastiaan, nee, Sebastiaan,
toe, Sebastiaan, toom je in!
Het is zó gevaarlijk binnen,
zó gevaarlijk voor een spin.

Zei Sebastiaan eigenzinnig:
Nee, de Drang is mij te groot.
Zeiden alle and'ren innig:
Sebastiaan, dit wordt je dood...
O, o, o, Sebastiaan!
Het is niet goed met hem gegaan.

Door het raam klom hij naar binnen.
Eigenzinnig! En niet bang.
Zeiden alle and're spinnen:
Kijk, daar gaat hij met zijn Drang!

PAUZE

Na een poosje werd toen éven
dit berichtje doorgegeven:
Binnen werd een moord gepleegd.
Sebastiaan is opgeveegd.

Over de inhoud van dit gedicht voert u een groeps-gesprek. Vragen voor dit onderwerp zijn onder meer:
– Over wie gaat dit gedicht?
– Wat doet hij?
– Waarom zou je hem maar eigenwijs kunnen noemen?
– Het is niet goed met hem gegaan? Wat is er dan met hem gebeurd?

– Waarom heeft Annie M.G. Schmidt het woord pauze gebruikt?

Tijdens dit gesprek zult u zeker moeten uitleggen wat er gebeurt als je een drang van binnen krijgt. Daarna verkent u met de kinderen de vorm van het gedicht en de manieren waarop we dit gedicht kunnen voorlezen. Zij zullen zonder al te veel moeite ontdekken dat er sprake is van een soort verhaaltje (of toneelstukje). We kunnen een kind de rol van Sebastiaan laten 'spelen', er is een verteller nodig en de rest van de groep is het 'spinnenkoor'. Gaat u met de kinderen na hoe (eigenwijs) Sebastiaan praat en hoe het spinnenkoor zijn bezorgdheid kan laten horen. Hierna laat u het gedicht een aantal keren 'opvoeren'. U zult waarschijnlijk wel even moeten oefenen met het koor: het valt niet mee om een stukje tekst samen voor te lezen.

Afsluiting

U leest het gedicht Ha-tsjie! van Han G. Hoekstra twee maal voor. De tweede keer niezen de kinderen het refrein.

HA-TSJIE!

Koos heet de jongen, je hoort het goed,
die als hij jokt altijd niezen moet.
Hij komt – al is hij héus doorgelopen –
toch te laat op school. De brug was open,
en toen viel hij ook nog op zijn knie.

('Koos, is dat écht waar?')

'Hatsjie!'

Laatst zag hij ergens een raceauto staan.
Hij is er direct mee vandoor gegaan.
Er was niemand te zien. Hij sprong achter het stuur

en reed weg, honderd kilometer per uur,
pijlsnel naar zijn oom in Overschie...

('Koos, is dat héus waar?')

'Hatsjie!
Hatsjie!!'

Maar vandaag zit Koos heel stil op zijn plaats,
hij snuffelt en snuffelt en heeft heel geen praats.
Hij is bepaald niet de oude,
die Koos, hij is snipverkouden.
Als wat je hoort is een keer of drie:

('Koos, voel je je écht naar?')

'Hatsjie!
Hatsjie!!
Hatsjie!!!'

Les 2

U leest het volgende korte gedicht van Jos van Hest voor.

Teken dwars door je kamer op schouderhoogte een lijn in de lucht.

Wanneer je door je kamer loopt,
vergeet dan voortaan niet te bukken.

U laat een aantal kinderen (of allemaal) dit gedicht uitbeelden: teken een lijn dwars door het lokaal en vergeet niet te bukken.

Kern van de les
De kinderen gaan in groepen aan het werk om dit gedicht van Annie M.G. Schmidt te presenteren:

Rineke Tineke Peuleschil

Rineke Tineke Peuleschil,
bij ons in Amsterdam,
die vroeg de hele tijd maar door
hoe alles eigenlijk kwam.

Rineke Tineke Peuleschil,
die vroeg bijvoorbeeld: Hee,
wáárom wáárom wáárom valt
de maan niet naar benee?

Ze vroeg het aan de bakker met
zijn dikke bolle wangen
Die zei: Ze hebben 'm misschien
met touwtjes opgehangen.

Ze vroeg het aan de slager die
de karbonaadjes bracht.
Hij zei: Daar heb ik eigenlijk
nog nooit zo aan gedacht.
Ze vroeg het aan de melkboer en
de melkboer zei: O, jee!
Vandaag of morgen vált die maan
misschien wel naar benee.

Ze vroeg het aan de man die het
elektra repareert.
Hij zei: Verdraaid, ik weet het niet
dat heb ik nooit geleerd.

Ze vroeg het aan meneer Verheul,
de deftige notaris.
Hij zei: Ik denk punaises, maar
ik weet niet of het waar is.

Maar laten we 't gaan vragen aan
een hele knappe man:
de directeur van 't postkantoor.
Die weet er alles van.

Ze kwamen allemaal aan de deur
van 't grote postkantoor.
Ze vroegen 't aan de directeur,
ze vroegen het in koor:
Waarom valt de maan niet naar benee?

De directeur van 't postkantoor
zei: Wel, dat is bekend.
Daar zijn bepaalde wetten voor,
dat staat in 't reglement!

En iedereen zei: Dank u wel,
wat fijn om dat te weten!
Toen gingen ze naar huis toe om
een boterham te eten.

Maar Rineke Tineke Peuleschil
is niet zo erg tevree.
Ze vraagt nog altijd: Wáárom
valt de maan niet naar benee?

Als jullie het te weten komt
stuur dan een telegram
aan Rineke Tineke Peuleschil
bij ons in Amsterdam.

Deze keer gaat het niet alleen om het voorlezen, maar ook om het spelen van het gedicht.

Eerst verkent u samen met de kinderen de inhoud:
– Over wie gaat het gedicht vooral?
– Wat komen we over haar te weten?
– Wie ontmoet ze op haar tocht?

U noteert deze personen op het bord:
– bakker
– slager
– melkboer
– man van het elektra
– meneer Verheul
– directeur van het postkantoor
Wijs erop dat al deze mensen (met uitzondering van de directeur) met haar meelopen.

De kinderen krijgen de opdracht de gespeelde/voorgelezen presentatie van dit gedicht voor te bereiden. Gezien het grote aantal personen gaat het om een flinke groep: een vertellen, Rineke Tineke Peuleschil en zes 'deskundigen'. In de groep moeten de rollen worden verdeeld en afspraken worden gemaakt over wat iedereen moet doen.

Afsluiting
De groepen laten de tocht van Rineke Tineke Peuleschil zien en horen.

Opmerkingen:
1 Om de presentatie te verfraaien zouden de kinderen zich kunnen verkleden.
2 Voor de afsluiting hebt u – ook omdat u de presentaties nabespreekt – zeker een apart lesuur nodig. Het zou jammer zijn als u zou moeten 'jagen'.
3 De presentatie moet eigenlijk in een grote ruimte plaatsvinden.
4 In deze les wordt uitgegaan van een speel/lees- presentatie. Het is natuurlijk ook mogelijk de kinderen het verhaaltje met eigen teksten te laten naspelen. Dat oogt 'natuurlijker'.

LESVOORBEELD 3

TITEL VAN DE LESSENSERIE: DE GEDICHTENBOOM
Onderwerp: het presenteren van een aantal gedichten

Bestemd voor: groep 8

Aantal lessen: 1

Doelen/activiteiten
– De leerlingen presenteren een aantal gedichten met behulp van een gedichtenboom.
– Zij geven argumenten voor hun keuze.
– Zij sluiten het poëzieprogramma van de basisschool af.

WERKWIJZE

Introductie
U legt uit wat de bedoeling is van de gedichtenbomendag. Elke groep leerlingen krijgt een 'boom': een stok van ongeveer één meter lengte met drie 'takken'.

Het is de bedoeling dat de groepen gedurende een bepaalde periode gedichten verzamelen die aan de boom worden gehangen. In de top komt het gedicht dat duidelijk de voorkeur heeft van de groep. Hieraan voorafgaand kunt u dan een soort van verkiezing koppelen, met stembiljetten en het promoten van bepaalde gedichten door leerlingen. Verder voert u een spelregel in voor het volhangen van alle andere takken van de boom: aan elke tak moeten 'soorten' gedichten worden opgehangen. Bij soorten kunt u denken aan inhoudelijk verwante gedichten (zie hoofdstuk 9) of aan gedichten die wat hun vorm betreft op enigerlei wijze verwant zijn (bijvoorbeeld: rijmend/niet rijmend; lange verhalende gedichten; korte gedichtjes). Legt u

ook uit dat tijdens de gedichtenbomendag elke groep de gekozen gedichten moet voorlezen en moet vertellen waarom deze gedichten zijn uitgekozen.

Kern van de les
U geeft gedurende een aantal lesuren de kinderen de gelegenheid de gedichten voor de boom uit te kiezen. Het spreekt vanzelf dat dit alleen maar mogelijk is als zij over voldoende keuzemogelijkheden beschikken. Zij hoeven zich overigens niet te beperken tot gedichten van professionele dichters. Een tak van de boom kan ook gevuld worden met door de kinderen zelf geschreven gedichten.

Afsluiting
Het betreft in dit geval een bijzondere afsluiting: op de gedichtenbomendag presenteren de kinderen hun gedichten. Tak voor tak worden de gedichten voorgelezen (alle leden van de groep doen hieraan mee) en van kort commentaar voorzien. Als een gedicht is voorgelezen, wordt het aan de boom gehangen. U kunt de gedichtenbomen in uw lokaal ten toon stellen, maar het is natuurlijk ook mogelijk er een plaatsje voor in de school te zoeken.

Opmerkingen:
Wanneer u over te weinig materiaal beschikt om alle kinderen in uw groep tegelijkertijd aan deze opdracht te laten werken of wanneer u het bezwaarlijk vindt dat alle groepen op één middag hun boom presenteren, kunt u ook voor een gefaseerde aanpak kiezen: gedurende een bepaalde periode presenteert per week één groep hun gedichtenboom. Het verfraait de presentatie als u de kinderen de gedichten op gekleurde velletjes papier laat schrijven. En de boom kan natuurlijk ook op nog andere manieren door de kinderen worden versierd.

Tip 1: Laat kinderen uit de bovenbouw ook eens een gedicht rappen of op muziek zetten. Voorbeelden staan op de cd van de Kinderboekenweek van 1998 *Van rijm tot rap. Kinderversjes, liedjes en gedichten op muziek gezet door bekende en minder bekende zangers.* Maar ook voor kinderen uit de onderbouw zijn veel cd's te vinden met gedichten op muziek. Zo zijn veel van de gedichten van Annie M.G. Schmidt op muziek gezet.

Tip 2: Hang elke week 'Het gedicht van de week' in de klas op. De ene keer kiest de leerkracht het gedicht uit, de andere keer zijn het kinderen die een gedicht mogen kiezen. Er kunnen met het centrale gedicht steeds wisselende activiteiten uitgevoerd worden, gericht op bijvoorbeeld: inhoud, vorm van het gedicht, ritme, rijm, illustraties, de dichter etc. Alle gedichten van de week worden bewaard in een speciale doos of koffertje. Aan het eind van het jaar heeft de klas dan een schatkist vol met gedichten waarmee het afgelopen jaar is gewerkt. Als afsluiting zou uit deze gedichten 'Het gedicht van het jaar' gekozen kunnen worden.

Bijlage 1 Kerndoelen voor de Nederlandse taal

De kerndoelen voor de Nederlandse taal die betrekking hebben op het poëzieonderwijs (uit: Kerndoelen basisonderwijs 1998, p. 27 t/m 31).

Domein A: mondelinge taalvaardigheid
– De leerlingen kunnen hun ervaringen, mening, waardering of afkeuring op persoonlijke wijze weergeven.

Domein B: leesvaardigheid
– De leerlingen kunnen informatieve en betogende teksten, verhalen, poëzie en dialogen voor hoorspel, poppenkast of toneel onderscheiden.
– De leerlingen kunnen hun manier van lezen aanpassen aan door henzelf of door de leerkracht gesteld lezersdoel.

Domein C: schrijfvaardigheid
– De leerlingen kunnen hun gedachten, ervaringen, gevoelens en bedoelingen uiten bijvoorbeeld in een verhaal, een gedicht en in een dialoog voor hoorspel, poppenkast of toneel.
– De leerlingen kunnen teksten schrijven, waarin zij hun eigen ervaringen, mening, waardering of afkeuring duidelijk weergeven.
– De leerlingen kunnen schrijven toepassen als middel om gedachten, ervaringen, gevoelens en bedoelingen voor henzelf te ordenen.
– De leerlingen kunnen de vormgeving en de presentatie van hun teksten verzorgen door aandacht te besteden aan de leesbaarheid van hun spelling, de leesbaarheid van hun handschrift, zinsbouw, bladspiegel, beeldende elementen en kleur.

Domein D: taalbeschouwing
– De leerlingen kunnen begrippen hanteren die het hun mogelijk maken over taal te denken en te spreken: betekenis, beeldspraak, letterlijk en figuurlijk taalgebruik, uitdrukking, gezegde, spreekwoord, synoniem, gevoelswaarde, symbool, beeldtaal, pictogram.
– De leerlingen kunnen begrippen hanteren die het hun mogelijk maken over taal te denken en te spreken: gedicht, poëzie, verhaal, drama, toneelstuk, jeugdboek, monoloog, dialoog.

Bijlage 2 Tussendoelen voor groep 1 t/m 3

Tussendoelen voor groep 1 t/m 3 die betrekking hebben op het poëzieonderwijs (uit: Tussendoelen beginnende geletterdheid, Nijmegen, 1999).

Boekoriëntatie
- Kinderen begrijpen dat illustraties en tekst samen een verhaal vertellen.
- Ze weten dat boeken worden gelezen van voor naar achter, bladzijden van boven naar beneden en regels van links en rechts.
- Ze weten dat verhalen een opbouw hebben.
- Ze kunnen aan de hand van de omslag van het boek de inhoud van het boek al enigszins voorspellen.
- Kinderen weten dat je vragen over een boek kunt stellen. Deze vragen helpen je om goed naar het verhaal te luisteren en te letten op de illustraties.

Verhaalbegrip
- Kinderen begrijpen de taal van voorleesboeken. Ze zijn in staat conclusies te trekken naar aanleiding van een voorgelezen verhaal. Halverwege kunnen ze voorspellingen doen over het verdere verloop van het verhaal.
- Kinderen kunnen een voorgelezen verhaal naspelen terwijl de leerkracht vertelt.
- Kinderen kunnen een voorgelezen verhaal navertellen, aanvankelijk met steun van illustraties.
- Kinderen kunnen een voorgelezen verhaal navertellen zonder gebruik te hoeven maken van illustraties.

Functies van geschreven taal
- Kinderen weten dat geschreven taalproducten zoals briefjes, brieven, boeken en tijdschriften een communicatief doel hebben.

- Kinderen zijn zich bewust van het permanente karakter van geschreven taal.
- Kinderen weten dat tekenen en tekens produceren mogelijkheden bieden tot communicatie
- Kinderen weten wanneer er sprake is van de taalhandelingen 'lezen' en 'schrijven'. Ze kennen het onderscheid tussen 'lezen' en 'schrijven'.

Relatie tussen gesproken en geschreven taal
- Kinderen weten dat gesproken woorden kunnen worden vastgelegd, op papier en met audio/visuele middelen.
- Kinderen weten dat geschreven woorden kunnen worden uitgesproken.

Functioneel 'schrijven' en 'lezen'
- Kinderen schrijven functionele teksten, zoals lijstjes, briefjes, opschriften en verhaaltjes.
- Kinderen lezen zelfstandig prentenboeken en eigen en andermans teksten.

Begrijpend lezen en schrijven
- Kinderen tonen belangstelling voor verhalende en informatieve teksten en boeken en ook gemotiveerd die zelfstandig te lezen.
- Kinderen begrijpen eenvoudige verhalende en informatieve teksten.
- Kinderen gebruiken geschreven taal als communicatiemiddel.

Aanbevolen bloemlezingen

Alles in de wind
de bekendste kinderversjes van vroeger
gekozen door C.J, Aarts en M.C. van Etten
Bert Bakker, Amsterdam, 1993

Een propje in mijn gezicht
gedichten
samenstelling en inleiding: Daniel Billiet
Infodok, Leuven/Den Haag, 1989

Als je goed om je heen kijkt zie je dat alles gekleurd is
samengesteld door Tine van Buul en Bianca Stigter
Querido, Amsterdam, 1990

Ik geef je niet voor een kaperschip Met tweehonderd witte zeilen
samengesteld door Tine van Buul en Bianca Stigter
Querido, Amsterdam, 1993

De dichter is een tovenaar
175 gedichten voor kinderen
samengesteld door Jan van Coillie
Altiora/Averbode, Apeldoorn, 2000

Kom maar dichter
samengesteld door Jan van Coillie
Altiora/Averbode, Apeldoorn, 1990

Met gekleurde billen zou het gelukkiger leven zijn
samengesteld door Jan van Coillie
Altiora/Averbode, Apeldoorn, 1996

Liedjes met een hoepeltje erom
De meest gezongen kinderliedjes van dit moment
samengesteld door Toin Duijx en Joke Linders
Van Holkema & Warendorf, Houten, 1994

Ik voel me ozo heppie
Over vriendschap, verliefdheid en andere ellende
samengesteld door Frank Eerhart
Lemniscaat, Rotterdam.

Feestbeest
Over geluksvogels, snotapen en andere rare snuiters
samengesteld door Frank Eerhart
Lemniscaat, Rotterdam.

Tussen zon en maan
samengesteld door Herman Kakebeeke
Lannoo, Tielt, 2002

Ik doe lekker wat ik wel
samengesteld door uitgeverij Lemniscaat
Lemniscaat, Rotterdam, 2001

Strikjes in de struiken
gekozen door Ben Reynders
Davidsfonds/Infodok, Leuven, 1994
(gedichten van kinderen)

Te weinig handen om te wuiven
gekozen door Ben Reynders
Davidsfonds-Infodok, Leuven, 1996
(gedichten van tieners en jongeren)

Van Alphen tot Zonderland
De Nederlandse kinderpoëzie van alle tijden
verzameld door Anne de Vries
Querido, Amsterdam, 2000

Door een gekleurde bril
The House of Books, Vianen, 2001
(gedichten van kinderen en diverse kinderboeken-
auteurs)

Het is feest in mijn pen
Uitgeverij Zirkoon, Vianen, 1995
(gedichten van kinderen)

Horen, zien en schrijven
Uitgeverij Zirkoon, Vianen, 1996
(gedichten van kinderen)

Ik schrijf, ik schrijf wat jij niet schrijft
The House of Books, Vianen, 2001
(gedichten van kinderen)

Mensen, dieren, dingen
Uitgeverij Zirkoon, Vianen, 1997
(gedichten van kinderen)

Met kroontjespen of toetsenbord
The House of Books, Vianen, 2000
(gedichten van kinderen)

Waar ik woon
Uitgeverij Zirkoon, Vianen, 1998
(gedichten van kinderen)

Woorden dansen in mijn hoofd
Uitgeverij Zirkoon, Vianen, 1999
(gedichten van kinderen)

Aanbevolen secundaire literatuur

Leesbeesten en boekenfeesten
Hoe werken met kinder- en jeugdboeken?
Coillie, J. van
Davidsfonds/Infodok, Leuven, 1999

Boeken maken in de klas
Dijkstra, M. en Pompert, B.
Koninklijke van Gorcum BV, Assen, 2001

Boekje open deel 4
over gedichten voor kinderen
Eerhart, F.
Uitgeverij De Inktvis, Dordrecht, 1998

Kansrijke taal voor peuters en kleuters
Hansma, H.
Bekadidact, Baarn, 1993

Kansrijke taalhoeken in groep 1 t/m 8
Hansma, M.
HB*uitgevers*, Baarn, 2001

Aan de slag met kinderboeken
Een programma leesbevordering ten behoeve van Pabostu-denten
Kemmeren, C., Koeven, E. van, e.a.
Biblion Uitgeverij, Den Haag, 2001

Met jou kan ik lezen en schrijven in groep 3 en 4
Een ontwikkelingsgerichte didactiek voor het leren lezen en schrijven in groep 3 en 4
Knijpstra, H., Pompert, B. e.a.
Van Gorcum, Assen, 1997

Aanbevolen websites en software

www.skep.nl : website van de Stichting Kinderen en Poëzie. Deze stichting organiseert o.a. een poëziewedstrijd aan het begin van het schooljaar voor leerlingen van het basis- en speciaal onderwijs.

www.jeugdenpoezie.be : website van de Vlaamse Stichting Jeugd en Poëzie. Zij organiseren een wedstrijd in Vlaanderen en geven informatie over kinder- en jeugdpoëzie.

www.lezen.nl : Website van Stichting Lezen, met o.a. een activiteitenladder, waarop diverse activiteiten op gebied van poëzie

www.poetry.nl : Website van Poetry International. Deze instelling organiseert o.a. in juni een kinderfestival voor leerlingen uit de bovenbouw in Rotterdam.

www.schrijversnet.nl : Website met informatie over vele schrijvers en dichters, ook recensies van gedichten en kinderboeken voor kinderen.

www.goudenmuis.nl : Op deze website staat elke maand een andere schrijver centraal; kinderen kunnen soms bijvoorbeeld met mailen met de schrijver van de maand.

www.taalsite.nl : Website van SLO.

www.boekenpret-fantasia.nl : Website van NBLC met betrekking tot aanpak om de leesmotivatie bij kinderen te bevorderen.

Babbelbij, Wolters Noordhoff, Groningen.

Schatkist, Zwijsen, Tilburg.

Letterpret, Malmberg, 's-Hertogenbosch.

Bronvermelding gedichten

Hans Andreus, Liedje van de luie week, uit *Waarom, daarom* (Holland, Haarlem, 1967); Modern aftelrijmpje, uit *De Trapeze, deel 4* (Wolters-Noordhoff, Groningen, 1970); 't Hebbeding, De grimvis, Het ruisen van de zee, uit *De fontein in de buitenwijk* (Holland, Haarlem, 1973).

Eine Barentsen, Bladeren dwarrelen, uit *Door een gekleurde bril* (The House of Books, Vianen, 2001).

Mariska Bekker, Feest in mijn pen, uit *Het is feest in mijn pen* (Zirkoon, Drunen, 1995).

Ienne Biemans, Bij juffrouw Jeuken, uit *Mijn naam is Ka.* (Querido, Amsterdam, 1985); Onder het lichte, uit *Lang zul je leven* (Querido, Amsterdam, 1988).

Burny Bos, Ik droom..., Soms droom ik, uit *De droomfabriek* (Leopold, Den Haag).

Mies Bouhuys, De zonnebloem, Haantje de voorste, uit *Alle vogels vliegen* (Holland, Haarlem, 1978).

C. Buddingh' en K. Schippers, Wat je kan zien, maar niet kan horen, uit *128 vel schrijfpapier* (Querido, Amsterdam, 1967).

Thera Coppens, Laatste uur, uit *Trappen om vooruit te komen* (Holland, Haarlem, 1986).

Rie Cramer, Twee blote beentjes, uit *Kindjes Boek* (De Haan, Utrecht, z.j.); Het paasmandje, uit *Mijn liefste versjes* (Van Goor, Den Haag, 1932).

Roald Dahl, Roodkapje en de wolf, uit *Gruwelijke rijmen* (De Fontein, Baarn, 1982); Hans en Grietje, uit *Rijmsoep* (De Fontein, Baarn, 1990).

Jules Deelder, Gedicht voor land- en tuinbouw, uit *Dag en nacht geopend* (De Bezige Bij, Amsterdam, 1979); Beknopte topografie van de Rijnmond, uit *Moderne gedichten* (De Bezige Bij, Amsterdam, 1979).

Miep Diekmann, tien zakken patat, uit *Stappe stappe step* (Querido, Amsterdam, 1979).

Songul Dogan, Mijn huiswerk, uit *Door een gekleurde bril* (The House of Books, Vianen, 2001).

Hans Dorrestijn, 't Enge restaurant, De foute schoolconciërge, uit *De bloeddorstige badmeester en andere griezels voor kinderen* (Bert Bakker, Amsterdam, 1993).

Frank Eerhart, Beugel, uit *Even blijven zitten* (Stichting Plint, Eindhoven); Kijken 1, uit *Ben ik dat?* (Lemniscaat, Rotterdam, 1987).

Remco Ekkers, Volwassenen, Reiger, uit *Praten met een reiger* (Leopold, Den Haag, 1986).

Ida Gerhardt, uit *Dichtspreuken 1*

Groep 4, BS Acaciahof, Een gedicht voel je, uit *Door een gekleurde bril* (The House of Books, Vianen, 2001).

Hans Hagen, Inhalen, Lamp, Stom, Polderijs, uit *Salto Natale* (Van Goor/De Boekerij, Amsterdam, 1994).

Hans & Monique Hagen, Drie dagen, Pijltjes, uit *Jij bent de liefste* (Querido, Amsterdam, 2000).

Debbie Hameleers, De Engelse les, uit *Met kroontjes-pen of toetsenbord* (The House of Books, Vianen, 2000).

Jan Hanlo, De mus, Bootje, uit *Verzamelde gedichten* (Van Oorschot, Amsterdam, 1958).

Jac. van Hattum, 's Morgens in de stal, uit *Het kauw-gumkind* (De Arbeiderspers, Amsterdam, 1965).

J.P. Heije, Bloemenkweeken, uit *Almanak voor de jeugd* (H.J. van Kesteren, Amsterdam, s.j.).

Jos van Hest, Ga midden in je kamer zitten, Teken dwars door de kamer op schouderhoogte, uit *Zie hoe eenvoudig* (Holland, Haarlem, 1990).

Gil vander Heyden, Dochter, uit *Een puntje krokus* (Bakermat, Mechelen, 1994).

D. Hillenius, De leeuwerik, uit *Verzamelde gedichten* (Van Oorschot, Amsterdam 1991).

Mieke Hink, Mammie, uit *Doe Maar Dicht Maar 1993* (Xeno, Groningen, 1993).

Han G. Hoekstra, Barend is een boertje, uit *Rijmp-jes en versjes uit de nieuwe doos* (Meulenhoff, Amsterdam, 1976); Ha-tsjie!, uit *De kikker van Kudelstaart* (Querido, Amsterdam, 1987).

Janet Hoiting, De tranen vloeien uit m'n ogen, uit *Doe Maar Dicht Maar 1988* (Xeno, Groningen, 1988).

Diet Huber, De snars, de fluit, de sikkepit, uit *De snars, de fluit, de sikkepit* (De Arbeiderspers, Amsterdam, 1963); De vier koningen, uit *De veter-eter* (Leopold, Amsterdam, 1979).

Willem Hussem, Zet het blauw, uit *In Druk* (Arnhem, 1965).

Pierre Kemp, Het Rood van het Joodse Bruidje, uit *Verzameld Werk* (Van Oorschot, Amsterdam, 1976).

Mensje van Keulen, Francina Fazant, uit *Van Aap tot Zet* (Querido, Amsterda, 1994).

Sonja Konijnenburg, De ramp, uit *Doe Maar Dicht Maar 1993* (Xeno, Groningen, 1993).

Gerrit Krol, Zomer, uit *Palaroid* (Querido, Amsterdam, 1976).

Johanna Kruit, Vakantiefilm, uit *Als een film in je hoofd* (Holland, Haarlem, 1989); Meeuwen, uit *Vannacht zijn we verdwenen* (Bakermat, Mechelen, 1993).

Nannie Kuiper, Jassen passen, Lui, oud en versleten, uit *Zo kan het ook* (Leopold, Amsterdam, 1993).

Wiel Kusters, Kinderkamer, uit *Vrij Nederland*, 1981; Ballon, uit *Salamanders vangen* (Querido, Amsterdam, 1985); Maart roert zijn staart, uit *Querido's Kinderboekkalender* (Querido, Amsterdam, 1987).

Jan 't Lam, Shampoo in mijn haar, Je kijkt zo donker, uit *Ik heb wel eens een bui* (Leopold, Den Haag, 1985).

Harriet Laurey, De avond-gast, uit *Kinderversjes* (Holland, Haarlem, 1976).

Joke van Leeuwen, Mevrouw De Pauw wou graag een hond, uit *Hoor je wat ik doe?* (Omniboek, Den Haag, 1984); Ik voel me ozo heppie, uit *Querido's Kinderboekkalender* (Querido, Amsterdam, 1987).

Marcel van Leeuwen, Boom, uit *Doe Maar Dicht Maar* 1988 (Xeno, Groningen, 1988).

L. Th. Lehman, Gesprek tussen twee muizen, uit *Luxe* (De Bezige Bij, Amsterdam, 1966).

Ted van Lieshout, Tekening, uit *Multiple noise* (Leopold, Amsterdam, 1992).

Ilona Liewes, Fluitspeler en watermeloen-eter, uit *Door een gekleurde bril* (The House of Books, Vianen, 2001).

Fabiënne Meijer, Dikki is al jaren, uit *Ik schrijf, ik schrijf wat jij niet schrijft* (The House of Books, Vianen, 2002).

Theo Olthuis, Alleen, Ik wou, uit *Leunen tegen de wind* (Querido, Amsterdam, 1985).

Paul van Ostaijen, Berceuse Nr. 2, uit *Verzameld Werk Poëzie 2* (Bert Bakker, Amsterdam, 1985).

Els Pelgrom, Want er zijn dingen die je niet kunt zeggen, uit *Nou hoor je het eens van een ander* (Querido, Amsterdam, 1981).

Walther Petri/Hans Dorrestijn, De kangoeroe, Bohomil, uit *Humbug* (Sjaloom, Utrecht, 1985).

Fetze Pijlman, Reigers, uit *Voor het eerst* (Holland, Haarlem, 1984).

P. van Renssen, Oude Moeder Lindelaan, uit *De geschiedenis van Pig Pag Pengeltje en andere versjes* (Van Goor, Den Haag, 1936).

Bas Rompa, Ik, uit *De Blauw Geruite Kiel*, Vrij Nederland, 8 oktober 1988.

J.C. van Schagen, Aftelrijmpje, uit *Domburgse Cahiers III* (Domburg, 1964); een mist kwam uit zee, windje komt uit zee, doe eens... , Uit *Wat dit blijfsel overbleef* (De Prom, Baarn, 1985).

K. Schippers, Gedicht, Geen woord te veel, uit *Een leeuwerik boven een weiland* (Querido, Amsterdam, 1980); De ontdekking, uit *Als je goed om je heen kijkt zie je dat alles gekleurd is* (Querido, Amsterdam 1990).

Annie M.G. Schmidt, Liever kat dan dame, Ik ben lekker stout, Bad, De Orrekiedor, Het zoetste kind, Sebastiaan, Rineke Tineke Peuleschil, Niet alleen de eendjes zwemmen in het water, uit *Ziezo* (Querido, Amsterdam, 1987).

Shel Silverstein, Baby-zitten, Iets stapelgeks, uit *Licht op zolder* (De Fontein, Baarn, 1983).

Hedwig Smits, Ik ben kwaad, uit *De clown en andere gedichtjes* (Westfriesland, Hoorn, 1970).

Lea Smulders, Ieder zijn zegje, uit *Kinderversjes* (Cantecleer, De Bilt, z.j.).

André Sollie, Altijd, uit *Het ijzelt in juni* (Querido, Amsterdam, 1997).

Jac. van der Ster, De trap, uit *Mallemolen* (Bert Bakker/Daamen, Den Haag, z.j.).

Kees Stip, Op een vlo, uit *Het grote beestenboek* (Bert Bakker, Amsterdam, 1988).

Nicky van Tuinen, Vol zakje chips, uit *Woorden dansen in mijn hoofd* (Zirkoon, Vianen, 1999)

Dolf Verroen en Nannie Kuiper, Ben je ook zo'n beest? uit *Ben je ook zo'n beest?* (Leopold, Den Haag, 1982).

Diet Verschoor, Haal jij eens even, uit *Zou het waar zijn wat ik zie?* (Holland, Haarlem).

Harry Vos, Ging ik dichten voor mijn brood, uit *Doe Maar Dicht Maar* 1989 (Xeno, Groningen, 1989).

Ivo de Wijs, De hunebedden, uit *Een potjes geschiedenis* (Leopold, Amsterdam, 1989); Sonnet, uit *Vroege Vogels Vliegen* (Amber, Amsterdam, 1990).

Riet Wille, Ik ben een dier, uit *Raadsels te koop* (Lannoo, Tielt/Weesp, 1985).

Willem Wilmink, De bezielde leraar, Foto's kijken, Ik wil dromen, Lezen is heerlijk, Daar ligt mijn vriend begraven, Beroepskeuze, De klok gaat me te vlug, De oude reiger, Een probleem, Rond of vierkant, Toen ik zelf een jongen was, uit *Verzamelde liedjes en gedichten* (Bert Bakker, Amsterdam, 1986).

Leendert Witvliet, Aap, Mus, uit *Vogeltjes op je hoofd* (Kosmos, Amsterdam, 1980).

Daan Zonderland, Er was eens een professor, uit *De blikken fluit* (De Fontein, Baarn, z.j.).

Verantwoording overgenomen illustraties

Hoofdstuk 6

Joop Corjanus e.a., *Lezen in Balans 4* (Tekstboek 1). Illustratie Mat Rijnders (Uitgeverij De Ruiter, Gorinchem, 1989)

Hoofdstuk 8

Leendert Witvliet, *Vogeltjes op je hoofd*, Illustratie Annemie Heymand (Uitgeverij Kosmos, Amsterdam, z.j.)

Ted van Lieshout, *Multiple Noise* Illustratie Ted van Lieshout (Uitgeverij Leopold, Amsterdam, 1992)

Shel Silverstein, *Licht op zolder*, Illustratie Shel Silverstein (Uitgeverij Fontein, 1981)

Johanna Kruit, *Vannacht zijn we verdwenen*, Illustratie Wim Hofman (Bakermat uitgevers, Mechelen, 1993)

Geraadpleegde literatuur

Christine van den Akker, Ben Hulshof, Marion Rijs en Hai Voeten, *Over literatuur, muziek, schilderkunst.* Katholieke Universiteit Nijmegen, Nijmegen, 1984.

Tine van Buul, Aukje Holtrop, Murk Salverda en Erna Staal, *Altijd acht gebleven. Over kinderliteratuur van Annie M.G. Schmidt.* Querido, Amsterdam, 1991.

Bzzlletin, nr. 161 – 162, jrg. 17 (1988-1989), Themanummer over Willem Wilmink.

Bzzlletin, nr. 179, jrg. 24 (1990-1991), Themanummer over Het Schrijverscollectief.

Jan van Coillie, *Van lapjeskat tot liegbeest. Dertig jaar poëzie voor kinderen in Nederland en Vlaanderen.* NBLC, Den Haag, 1990.

Jan van Coillie, *Poëzie graag! Werken met gedichten in de kleuterklas en de basisschool.* Altiora, Averbode/Apeldoorn, 1990.

Jack Collon, *Moving Windows.* Evaluating poetry children write. Teachers and writers Collaboration, New York, 1985.

Lea Dasberg, *Grootbrengen door kleinhouden als historisch verschijnsel.* Boom Amsterdam, Meppel, 1975.

Ton van Deel, *Ik heb het Rood van 't Joodse Bruidje lief. Gedichten over beeldende kunst.* Querido, Amsterdam, 1988.

Peter Dellensen en Leo Lenz, *Taaldrukken. Verder dan zeggen en schrijven.* Bekadidact, Baarn, 1987.

Remco Ekkers, Van nonsens tot verwondering. In *Bzzlletin,* nr. 161 – 162, jrg. 18 (1989), p. 60 – 68.

Dirk de Geest, *Creatief schrijven in het poëzieonderwijs.* Acco, Leuven, 1982.

H. van Gorp (red.), *Lexicon van literaire termen.* Wolters-Noordhoff, Groningen, 1991.

Ad van der Heijden en Pieter Quelle, *Plezier met poëzie.* De Ruiter, Gorinchem, 1990.

Frea Janssen-Vos, Bea Pompert en Henk Vink, *Naar lezen, schrijven en rekenen.* Van Gorcum, Assen/Maastricht, 1997 (herziene druk).

Gillian Lazar, *Literature and Language Teaching.* Cambridge University Press, Cambridge, 1993.

Joke Linders, Jos Staal, Herman Tromp, Jacques Vos (red.), *Het ABC van de jeugdliteratuur Van Abkoude naar Zonderland.* Martinus Nijhoff, Groningen, 1995.

Jan van Luxemburg, Mieke Bal en Willem Weststeijn, *Inleiding in de literatuurwetenschap.* Couthino, Muiderberg, 1988.

W. Luyten en M. Stevens, *Gedichten door-zien.* Acco, Leuven/Amersfoort, 1986.

Annie Moerkercken van der Meulen en Hanny Spelbrink, *De wereld van het kinderboek.* Wolters-Noordhoff, Groningen, 1997 (herziene druk).

Andries Oldersma, Zeggen en schrijven, maar vooral verder. *Kwaliteit en literaire vorming.* In *Ver-*

nieuwing van Opvoeding en Onderwijs, nr. 8, jrg. 49 (1990).

Will van Peer, *Lees meer fruit. Kinderen en literatuur.* Bohn, Stafleu en Van Loghum, Houten/Zaventem 1992.

Cees van der Pluijm, *Schrijven van gedichten en verhalen.* Stichting Teleac, Utrecht, 1993.

Fred Portegies Zwart, *Poëzie als kinderspel.* De Bezige Bij, Amsterdam, 1975.

Marita de Sterck (red.), *Schrijver gezocht. Encyclopedie van de jeugdliteratuur.* Lannoo, Tielt, 1988.

Ludo Verhoeven, *Ontluikende geletterdheid.* Zwets en Zeitlinger, Lisse, 1994.

Ludo Verhoeven (red.), *Tussendoelen beginnende geletterdheid. Een leerlijn voor groep 1 t/m 3.* Expertise-centrum Nederlands, Nijmegen, 1999.

Wil van der Veur en Jan Boland, *Dichtklapper. Werken met gedichten in de basisvorming.* SLO, Enschede, 1993.

Jacques Vos, *Poëzie op school.* De Ruiter, Gorinchem. 1991.

Jacques Vos, *Curriculum poëzie in de basisschool (Bronnenboek).* Wolters-Noordhoff, Groningen, 1991.

Anne de Vries, *Een droevig dieptepunt?* In Literatuur zonder leeftijd, nr. 29, jrg. 8 (1994).

Werkgroep Ufsal-docebo, *Poëzie in het onderwijs.* Acco, Leuven/Amersfoort, 1984.

Willem Wilmink, *Gij weet dat gij niet bestaat.* Martinus Nijhoff, Leiden, 1989.

Jos G.W. van der Wouw en Eugène H.G.M. Coevorst, *Over 't gedicht. Een wegwijzer poëzielessen in de basisschool.* Zwijsen, Tilburg, 1988.

Kerndoelen basisonderwijs 1998. Over de relatie tussen de algemene doelen en kerndoelen per vak. OC en W, Zoetermeer.

Adressen landelijke instellingen

Stichting Kinderen en Poëzie
Postbus 252
5150 AG Drunen
Tel. 0416-373019
Fax 0416-374406
www.skep.nl
info@skep.nl
– poëziewedstrijd voor kinderen t/m 12 jaar
– poëziebundels met poëzie door kinderen
– Ansichtkaarten met poëzie en tekeningen van
  kinderen

Cultuurnetwerk Nederland
landelijk expertisecentrum voor cultuureducatie
Postbus 805
3500 AV Utrecht
Tel. 030-2332328
www.cultuurnetwerk.nl
info@cultuurnetwerk.nl

Vereniging NBLC
Postbus 43300
2504 AH Den Haag
Tel. 070-3090100
Fax 070-3090200
infolijn@nblc.nl

SSS, stichting Schrijvers School Samenleving
Huddestraat 7
1018 HB Amsterdam
Tel. 020-6234923
www.sss.nl
info@sss.nl
– uitnodiging schrijvers voor schoolbezoek

Stichting PLINT
Postbus 164
5600 AD Eindhoven
Tel. 040-245001
www.plinternet.nl
– poëzieposters en poëziekaarten